M.FOURISCOT

la france en dentelles

christine bonneton éditeur

© **Christine** Bonneton Editeur
21, boulevard Maréchal-Fayolle
43000 Le Puy-en-Velay
ISBN 2-86253-010-7
Diffusion DIFF-EDIT Paris

arras

bailleul

lille

valenciennes

sedan

calais

caudry

En sa qualité de Directrice de l' « Atelier Conservatoire national de la dentelle à la main du Puy », Madame Fouriscot a contribué pour une grande part au renouveau des Dentelles aux fuseaux dans le domaine du dessin et de la composition. Elle avait donc toutes les connaissances et l'autorité pour exposer aux lecteurs les richesses dentellières de notre région : dentelles à la main (Lille, Valenciennes, Arras...) et dentelles mécaniques (Calais et Caudry). Elle a, en outre, fait ressortir la continuité dans la tradition qui unit ces deux modes de fabrication.

A une époque où l'on redécouvre les richesses de la création artisanale, je suis sûr que seront nombreux ceux qui apprécieront la qualité de cet ouvrage. D'autant que par le soin apporté à sa réalisation et par la précision remarquable avec laquelle l'auteur a rassemblé la documentation, ce livre constitue un ouvrage complet sur l'histoire de la dentelle dans notre région.

Que l'intérêt manifesté à nouveau pour la Dentelle et la faveur dont elle jouit auprès des jeunes soient un encouragement pour les dessinateurs et fabricants et une incitation à doter notre industrie des créations de leur époque comme l'avaient fait les générations précédentes !

Henri BEAUVILLAIN
*Président de la Fédération nationale
des Dentelles Broderies Tulles.*

Enfouie dans la mémoire des hommes, presque oubliée, la dentelle était devenue synonyme de luxe, de beauté et d'élégante fragilité.

Cet aura de souvenirs, de rêves arachnéens avait la ténuité des choses du passé.

Toutefois, le Saint Patron des dentellières du Puy, François Régis des Plats avait prédit en 1639 que jamais la dentelle ne disparaîtrait. Aussi, comme cela fut souvent le cas au cours de sa longue histoire, un greffon très vivace surgit, cette fois-ci, dans le centre dentellier le plus ancien de France : Le Puy en Velay.

En lisant la « Révolte des Passements » contenant l'appel de toutes les dentelles de France, l'envie me vint de réveiller « l'autrefois » dentellier de chaque région. Il était nécessaire de rappeler que si les merveilles réalisées par ces modestes filles, dentellières dès l'âge de six ou sept ans, ont été le résultat d'une exploitation scandaleuse, il n'en demeure pas moins une féérie qui ne peut laisser indifférent.

Songer qu'avec du fil, rien que du fil, allié à la patience délicate du geste des milliers de fois répété, il est possible de créer toute une symbolique dont les dentellières avaient, seules, le secret, est chose stupéfiante. La perfection de ce travail justifie sa classification dans les métiers d'art à haute technicité.

En contemplant les dentelles de Valenciennes ou de Sedan, de Lille ou de Bailleul vous ne pourrez qu'être émerveillés ou admiratifs, vous apprendrez à reconnaître les origines et les styles, et vous ne manquerez pas d'éprouver un certain respect pour ces dentellières qui ont su réaliser autant de chefs-d'œuvre.

La dentelle
aux fuseaux

Matériel dentellier

Modèles

Un dessinateur peint sur une feuille de parchemin un dessin. Celui-ci est confié à une **piqueuse** qui transperce la peau avec un poinçon en suivant le tracé. Le fabricant achète le modèle pour le faire confectionner par une dentellière qui n'a plus qu'à suivre la « piqure ».

Fil à dentelle

Les plus beaux fils se filent dans le Hainaut dont Valenciennes est le centre, et dans les Flandres avec Lille comme capitale.

Le fil de lin peut atteindre une finesse extrême puisque son filament peut se diviser indéfiniment. Tel n'est pas le cas du coton. Les étrangers ne peuvent imiter la finesse du fil travaillé par les fileuses qui ont une très longue tradition dans ce métier.

Carreaux

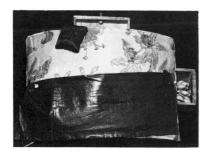

Le métier servant à faire de la dentelle s'appelle carreau ou coussin. Il est formé d'une planchette de bois carrée recouverte d'un rembourrage de paille maintenu très ferme par un morceau d'étoffe tendue au-dessus. Il faut qu'une épingle piquée dans le coussin reste bien droite. Une allonge peut l'agrandir si nécessaire.

Le métier se pose sur une petite table à crémaillère qui permet de travailler à la hauteur désirée. Dans le passé il s'appelait « cabit » à Valenciennes, « Kussen » à Bailleul.

Fuseaux

Appelés d'abord « bloquelets » au XVIᵉ siècle puis bloquets à Valenciennes, broquelets à Lille, boetjes, puis boutches à Bailleul, ils se composent d'une bobine autour de laquelle s'enroule le fil, et d'un manche. Les fuseaux, très fins et légers, mesurent de 8 à 10 centimètres.

Il n'est pas rare de trouver une dentelle demandant 800 fuseaux pour une largeur de 10 centimètres.

Epingles

Les épingles, toujours en cuivre, sont longues ou courtes selon l'emplacement qu'elles occupent dans le croisement ou le maintien des fils, mais elles sont très fines.

36. Une dentellière flamande.

1. Dentellière au travail. On distingue parfaitement la table à crémaillère, le « coussin » et les fuseaux.

13

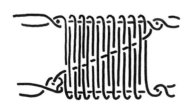

2. Torsions.

3. Point de Lille.

4. Point d'esprit carré.

Explications techniques

Technique du Fond de Lille :

La plus fine dentelle appelée « fond clair » est le point de Lille qui se pratiquait aussi à Arras.

Modèle
Le dessin est hexagonal avec deux pans perpendiculaires à la lisière.

Le piqué est un losange dont le grand axe est placé perpendiculairement à la lisière.

Méthode
Le fond est composé de cordes de deux fils tordus trois fois. Les mailles ne sont unies les unes aux autres que par le croisement d'un seul fil de chacune.
Le fond est simple et très rapide à exécuter. Il est indispensable de soutenir chaque croisement par une épingle pour respecter la régularité du réseau.

Point d'esprit carré (4 fuseaux)
Afin de donner une forme carré à ce point il faut maintenir deux fils à chaque angle par une épingle. En même temps que le fuseau voyageur fait ses allées et venues autour des trois fuseaux, on maintient les deux fils extérieurs tendus afin de conserver la forme carrée. Lorsque la dimension désirée est atteinte on termine par un nœud à chacune des deux cordes d'angle.

Technique du Fond Valenciennes :

Modèle
Le piqué du fond Valenciennes n'est pas carré mais losangé. Le grand axe est toujours perpendiculaire à la lisière.

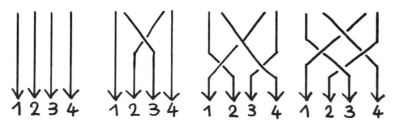

6. Corde de 4 fuseaux.

5. Passée ou point fermé.

Méthode

Tresse. — Le fond se fait avec des mailles de 4 fils tressés. Le côté d'une maille est donc une tresse qui se réalise de la façon suivante :

soit 4 fuseaux parallèles :
1) le fuseau 2 passe sur le 3
2) le nouveau fuseau 2 sur le 1
3) le nouveau fuseau 4 sur le 3

Ces trois mouvements ont réalisé une demi-passée ou point ouvert. Pour obtenir une passée ou point fermé, il faut ajouter :

4) le nouveau fuseau 2 sur le 3

Fond. — C'est le croisement de deux tresses de quatre fils qui feront le fond.

soit 2 paires de fuseaux A et B en X
soit 2 paires de fuseaux C et D en Y
— tourner une fois la paire A puis la paire B,
— les travailler ensemble par quatre 1/2 passées
— tourner une fois la paire C puis la paire D, les
— travailler ensemble par quatre 1/2 passées,
— tourner une fois la paire B puis la paire C, croiser
— facultatif : une épingle de soutien à ce croisement,
— tourner une fois et travailler ensemble en faisant quatre 1/2 passées les paires A et C,
— tourner une fois et travailler ensemble en faisant quatre 1/2 passées les paires B et D.

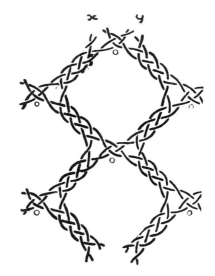

7. Fond Valenciennes.

La grille

La grille peut épouser toutes les formes.

Soit 16 fuseaux : 15 fuseaux servent à faire les obliques, le seizième travaille horizontalement en passant alternativement dessus et dessous chaque fil. Arrivé au point 2, placer une épingle pour maintenir le 16e fuseau que l'on peut appeler traversier ou voyageur. Croiser ensuite les fuseaux en passant le fuseau n° 2 sur le n° 1, le 4 sur le 3, le 6 sur le 5, etc... Lorsque les 15 fuseaux ont ainsi changé d'un rang, reprendre le traversier et le faire passer alternativement dessus et dessous pour aller au point 3, et ainsi de suite.

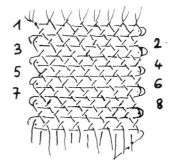

8. Grille.

Le Mat ou point de toile

Même piquage que pour la grille. Soit 16 fuseaux : deux serviront de traversier. Ces deux fuseaux passeront, le premier alternativement dessus puis dessous les 14 fils, le deuxième à la rangée suivante passera dessous, puis dessus. Une épingle sera posée à chaque changement de direction de ces deux fuseaux.

9. Point de toilé ou mat.

Arras

ARRAS. — *L'Hôtel de Ville, vue prise de l'Église Saint-Jean-Baptiste.*

En latin « Nemetacum », Arras a été la capitale des Gaules Atrebates. La ville saccagée par les Vandales en 407 est restaurée par Saint Waast. Détruite en 880 par les Normands, elle est reconstruite et gardée par le Prince d'Orange en 1598. Capitale de l'Artois elle est définitivement annexée à la France en 1659.

La communauté de Sainte-Agnès

La dentelle est implantée à Arras, depuis le XVᵉ siècle. A cette époque Charles-Quint demande aux religieuses dirigeant les monastères et les hospices d'enfants abandonnés d'enseigner la pratique de la dentelle.

En 1602, les jeunes filles pauvres, élevées dans la Communauté de Sainte-Agnès, doivent craindre Dieu, mais aussi avoir des notions de lecture, écriture, couture. Elles apprennent à filer, à faire « des passements, dentelles, tapisseries et choses semblables ». Leur apprentissage est progressif. Lorsque la fillette n'a jamais fait de dentelle, elle est confiée à une maîtresse et apprend solitairement les premiers points. Si elle est lente à comprendre, elle reste sur les mêmes points pendant un an. Puis elle passe aux points suivants, « la punaise », le « cha », le petit « soleil », etc. Au fur et à mesure, sa technique et ses connaissances s'enrichissent et lui permettent de commencer les modèles qui lui sont fournis. Une ouvrière experte se doit de réaliser par jour, un certain métrage de dentelle en fonction de ses compétences. Chaque fin de semaine, l'ouvrage est mesuré et le chiffre inscrit sur un carnet. Les dentelles sont ensuite vendues par la Supérieure. Le produit de la vente participe au bon fonctionnement du Monastère.

Un poème, du Père Martin du Buisson, fait l'énumération des divers travaux féminins auxquels l'Abbesse, Madame Sainte, dite « la Sauvage », occupe ses religieuses de l'Abbaye du Vivier située dans la ville d'Arras.

« les filles dans l'ouvroir tous les jours assemblées
N'y paraissent pas moins que l'abbesse zélées.
Celle-cy d'une aiguille ajuste au petit point
Un bel etuy d'autel que l'église n'a point,
Broche d'or et de soie un voile de calice;
L'autre fait un tapis du point de haute lice,
Dont elle fait un riche et précieux frontal,
Une autre coud une aube ou fait un corporal;
Une autre une chasuble, ou chappe non pareille,
Où l'or, l'argent, la soie, arrangés à merveille,
Représentant des saints vestus plus richement
Que leur éclat n'auroit souffert de leur vivant;
L'autre de son carreau détachant la dentelle,
En orne les surplis de quelque aube nouvelle...

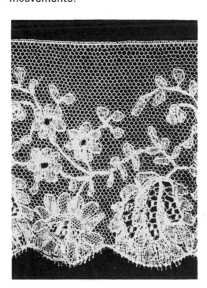

11. Dentelle Louis XV à dessin mouvementé.

La corporation des « Lingers »

La dentelle d'Arras va commencer à se développer d'une façon appréciable sous Henri IV pour atteindre une grande renommée sous Louis XIV, renommée qu'elle conservera sous le règne de Louis XV.

D'après Arthur Young, dans la deuxième partie du XVIIIᵉ siècle, on fabrique à Arras de grosses dentelles dont la vente est assurée en Angleterre. Les dentellières gagnent de douze à quinze sous par jour. De son côté, Peuchet précise que l'on fait beaucoup de mignonette et entoilage dont on consomme de grandes quantités en Angleterre.

18

Après la révolution, la Communauté de Sainte-Agnès devient l'hospice de l'égalité mais les enfants continuent à y apprendre à faire de la dentelle. Sept ans plus tard les religieuses reviennent dans leur couvent.

Par la suite la corporation des « Lingers » va centraliser le travail des dentellières à domicile et le commercialiser. Les ouvrières ne gagnent pas beaucoup et pourtant c'est pratiquement la seule source de revenu d'une grande partie de la population d'Arras et de ses environs.

Au XIXᵉ siècle, prospérité et déclin

Avec Napoléon Iᵉʳ la dentelle d'Arras connaît la prospérité. Plus de la moitié de la population féminine d'Arras, soit quatre mille cinq cents femmes ou filles fabriquent de la dentelle.

La matière première utilisée est toujours le lin mais la production de dentelle est telle, vers 1804, que la seule filature d'Arras ne suffit pas à assurer l'approvisionnement et qu'il faut faire appel aux filatures de Lille. Pourtant cette filature occupe soixante-dix ouvrières, tant auprès de ses moulins que pour la préparation des fils ; en outre, quatre cents femmes travaillent au filage du lin.

La demande est de plus en plus importante. En 1806, Hénon cite, pour une seule fabrique, le chiffre de soixante-quinze dentellières travaillant dans des ateliers et trois cents ouvrières à domicile. Les dessins sont toujours les mêmes, ce qui permet à la dentellière d'acquérir une dextérité extraordinaire.

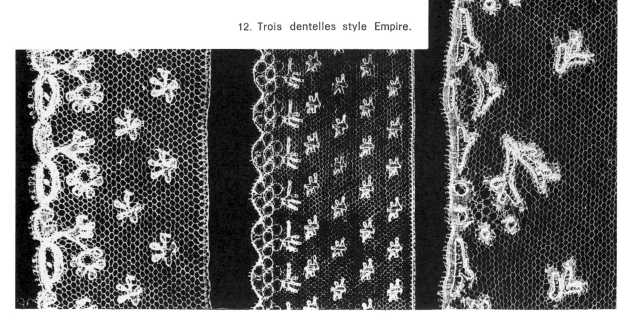

12. Trois dentelles style Empire.

On compte en 1851, huit mille dentellières, réparties à Arras, Dainville, Anzin, Sainte-Catherine, Saint-Nicolas, Beaurains et Mareuil. Leur salaire journalier est de 0,70 F pour un dessin ordinaire, mais peut atteindre 2 F pour une belle pièce. Le chiffre d'affaires s'élève à 800.000 F.

L'utilisation du coton au lieu de lin est funeste à la dentelle d'Arras d'autant plus qu'elle ne peut lutter contre la dentelle mécanique.

En 1883, l'Académie d'Arras essaye de raviver l'industrie de la dentelle et organise un concours entre les dentellières de la région : cent deux pièces ou échantillons de dentelles diverses sont présentés au Comité par quatre vingt-quatre ouvrières domiciliées dans treize communes : vingt-et-un prix de première classe et vingt-trois prix de deuxième classe sont décernés.

Cet essai fut vain : la fin du siècle sera aussi la fin des dentellières d'Arras.

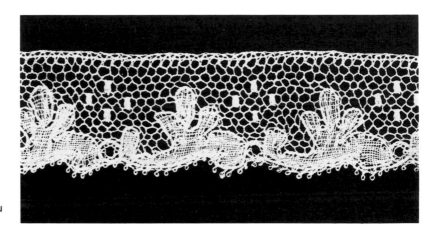

13. Dentelle ordinaire de la fin du XIXᵉ siècle.

Caractéristiques de la dentelle d'Arras à fils continus

XVIᵉ siècle : Les dessins, simples et purs, sont géométriques et harmonieux. D'élégantes arabesques d'inspiration renaissance sont également utilisées.

XVIIᵉ siècle : On note de belles fleurs opulentes, une méticulosité dans le fini ainsi qu'une extrême finesse du fil de lin.

XVIIIᵉ siècle : Le style rocaille au dessin mouvementé et compliqué utilise des fleurs délicates, au début du siècle, qui s'épaissiront par la suite. Le travail est toujours très soigné. Sous Louis XVI le style rocaille a disparu remplacé par des semés de pois.

XIXᵉ siècle : Sous le Premier Empire le dessin est simplifié à l'extrême : semés et fleurs minuscules. Les dentelles étroites s'appellent grand et petit renard.

20

Bailleul

BAILLEUL (Nord) – Grand'Place - Côté Nord-Ouest

L'histoire de Bailleul est toute faite du courage exemplaire de ses habitants qui s'étant ancrés sur la Becque ont toujours voulu y rester.

Bailleul a été dévastée par les Normands en 882, par Robert le Frison en 1072 et presque entièrement détruite par le feu en 1436, 1502, 1681.

Reconstruite et embellie chaque fois, elle est déclarée le 4 septembre 1914, ville ouverte et les troupes anglaises, écossaisses, australiennes, allemandes vont en fouler le sol. Le 12 octobre 1914, les premières bombes, anglaises, tombent sur la Papestraete, les 20 et 21 novembre 1914, les bombes allemandes tomberont sur la gare et le Collège.

Toutefois, rien de comparable au déferlement qui commencera le 12 mars 1918 : le beffroi est frappé et durant le mois d'avril la ville disparaîtra petit à petit sous les déflagrations des bombes. Mais Bailleul sera encore une fois reconstruite.

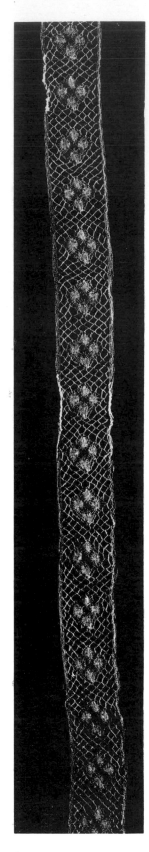

Le « speldewerck »

Vers le XVIIe siècle la dentelle aux fuseaux fait son apparition à Bailleul ; elle s'appelle alors, en flamand, « Speldewerck », soit travail aux épingles.

C'est Anne Swyngedauw, fondatrice d'une école pour filles pauvres, qui inclue cette discipline dans le règlement et oblige les maîtresses à l'enseigner afin que les jeunes filles possèdent un gagne-pain à leur sortie d'école. Son exemple a été assez bien suivi.

Vers 1750, d'importantes retorderies de fil à coudre et surtout à dentelle sont installées à Steenvoorde. On compte alors douze maîtres filetiers. Le nombre d'ouvriers est si important que lorsqu'ils se réunissent, une fois l'an, pour célébrer la fête de leur patron « Saint Liévin », il ne se trouve pas de salle suffisamment spacieuse pour les accueillir. Une coutume veut que les directrices d'écoles dominicales vendent, vers 1765, les dentelles confectionnées par les élèves. Le produit sert à distribuer, en fin d'année, des prix aux meilleures dentellières.

En 1770, le développement de la dentelle faite à Bailleul connaît un essor d'autant plus important que le déclin de la dentelle confectionnée à Valenciennes s'accentue.

La spécialité de la dentelle Bailleusoise est la Valenciennes à mailles rondes appelée aussi fausse Valenciennes, les toilés sont toutefois moins marqués et moins beaux que dans la vraie.

Si en 1789, on recense mille dentellières dans les communes autour de Bailleul et cent huit dans l'arrondissement de Bargues, on dénombre également huit fabricants qui font confectionner sept mille pièces de dentelle ayant chacune une longueur approximative de 8 mètres 52. Sur ces sept mille pièces vendues, Cassel en a produit 100, Hazebrouck : 30, Méteren : 45, Steenvoorde : 77 et Estaire : 100. Ce dernier village se spécialise surtout dans le fond de Paris.

Alors que la production Valenciennoise qui s'adresse, en raison de son prix, à la noblesse, voit sa production cesser, la révolution n'arrête pas celle de Bailleul, beaucoup plus populaire. Les rues de la ville bruissent du tintement des fuseaux et des chants des dentellières. Ces chants, identiques à ceux d'Ypres et de Poperinghe, très anciens, certains du XIVe et XVe siècle, sont fredonnés en travaillant. Ils s'appellent « tellingen » ou « telliederen ». Les thèmes principaux sont des épisodes du Nouveau Testament ou des légendes entourant la vie des Saints ou des Chevaliers. Parfois, elles sont franchement immorales. D'après Verhaegen « la cadence rythmiques des vers et des traînantes mélopées correspond au travail essentiellement mécanique de la dentelle aux fuseaux. Les cadences ont même été modifiées par l'usage

15. Petit entre-deux pour dentellière débutante : les pois.

24

16. Large dentelle à maille carrée;
dentellures à palmettes.

Les trois orphelins

Une mère est morte.
Elle avait trois petits enfants
Aimés de tout son cœur.
L'aîné dit au plus jeune :
— Nous trois petits enfants,
Allons à la recherche de notre mère.
Quand ils arrivèrent au cimetière :
— O notre mère tendrement aimée,
Si nous pouvions seulement être auprès de vous !
— être auprès de moi, cela ne se peut,
Mes trois enfants si chéris.
Mes jambes sont si lourdement chargées.
De la terre pesante ! »
Et il vint un ange du ciel,
Et il apporta à la mère une chaise, sur laquelle elle s'assit
Pour donner à ses enfants une dernière leçon.
— Quand vous passerez près des gens,
Otez votre chapeau.
Et si l'on vous demande qui vous a appris cela, dites :
— C'est notre mère qui est dans la tombe.

(les Tellingen)

jusqu'à ce que chaque vers et chaque phrase musicale eut une longueur exactement pareille et put servir de point de repère pour le placement d'une nouvelle épingle sur le parchemin; les dentellières ont ajouté, à certains mots et à certains vers, des syllabes supplémentaires sans égard pour le sens, et chaque vers nouveau qu'elles chantent est précédé de l'énonciation d'un numéro d'ordre. Elles commencent leur travail et leur chanson en disant « een » (un); suit le premier vers; puis une épingle est déplacée; elles continuent : « twee » (deux) : second vers; un nouveau changement d'épingle; « drie » (trois), et ainsi de suite, jusqu'au bout de la chanson. Ces chants sont transmis de génération en génération, sans être jamais écrits. Les vieilles les apprennent aux jeunes, on les sait par cœur et les vers qui les composent, dont le sens doit souvent échapper à celles qui les prononcent, sont comme pétrifiés par la tradition, qui les recueille de siècle en siècle ».

Les difficultés surgissent

Si en 1804, on ne compte plus que deux moulins à retordre et quatre fabricants, le nombre d'écoles d'apprentissage est en nette augmentation. Les villes de Bailleul, Meteren, Caestre, Hecke, Steenvoorde ont des écoles où les fillettes apprennent à manier les fuseaux dès l'âge de cinq ans. Les statistiques de l'an XII signalent que « les femmes ne jouissent pas à Bailleul d'une santé robuste, les filles y sont languissantes et tardives. Ce mauvais état de santé trouve sa source dans la vie sédentaire que leur impose le travail de la dentelle ». Peut-être cet état déficient provient-il également du fait que l'apprentissage commence à un âge très tendre avec des journées de travail de sept ou huit heures. On peut également imputer le mauvais état de santé des dentellières à l'utilisation quotidienne de la ceruse pour blanchir le lin.

Les quantités de dentelle commandées croissant, le nombre d'ouvrières augmente : 1.500 en 1827, 2.600 en 1830, 8.000 en 1851.

Si on continue à fabriquer des dentelles à bords droits pour le marché normand, on fabrique maintenant le bord dentelé. Le textile utilisé est le coton qui est acheté à une firme anglaise « Peat and Son ». La dentellière se le procure auprès des facteurs merciers ou courtières. Il existe 50 numéros chez Peat. Le chiffre le plus élevé correspond au fil le plus fin et le plus cher. Il est vendu par seizains, il y a 64 seizains dans une livre : les grosseurs de fil au-dessus de 100 sont numérotés de 10 en 10 jusqu'à 300 :

— Pour avoir une livre il faut :
en 110 : 6 échevaux de 91 mètres
120 : 6 échevaux et demi
130 : 7 échevaux
140 : 7 échevaux et demi
150 : 8 échevaux
etc...

17. Dentelle à mailles rondes; toilage aéré.
18. Imitation Valenciennes. Composition un peu raide dans la disposition des tulipes.

26

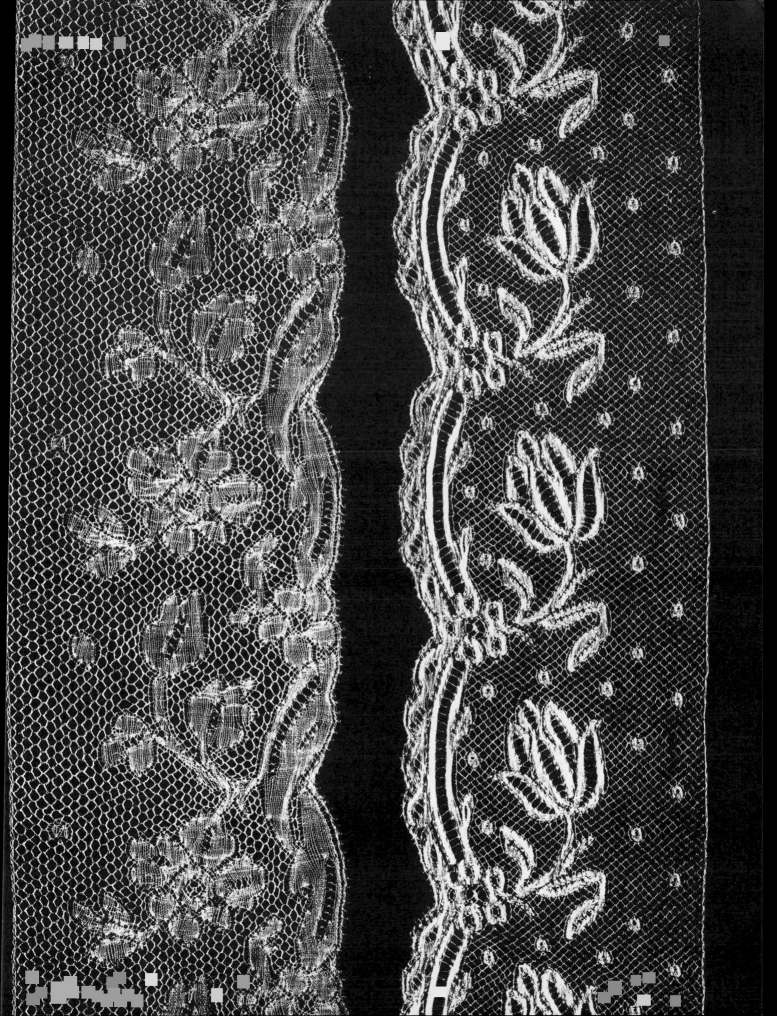

Pour la dentelle, genre torchon, guipure, grosse Valenciennes et Bruges ordinaire on utilise les grosseurs de fil du numéro 40 à 100, tandis que les fils n° 110 à 180 sont pour les Valenciennes classiques (120 à Bailleul) et les numéros 250 à 300 pour les Valenciennes très fines.

Vers 1870, on compte dix écoles. Pour les encourager, le ministre de l'Agriculture et du Commerce leur accorde une subvention de 2.000 francs; en effet, les maîtresses dentellières ne disposent que de faibles ressources. Outre le revenu de leur travail personnel elles ne gagnent qu'un franc par mois et par élève. Les cours sont donnés tous les jours du matin jusqu'au soir.

Les fabricants qui distribuent les modèles et prennent les dentelles confectionnées sont Messieurs Venière, Perrier, et Huyghe.

Une coutume très touchante veut que toutes les dentellières honorent leur patronne Sainte-Anne le 26 juillet. Ce jour-là toute la ville est en liesse. Les écoles dentellières sont ornées de draperies, de feuillages, de fleurs. Les enfants et les jeunes dentellières vont en procession à l'église en chantant la chanson de Moeder Anna. Des rondes

---

La Sainte Anne

Cette chanson se chantait dans les ouvroirs de dentellières, à Bailleul et en Flandre, le 26 juillet, jour de la Sainte-Anne, fête patronale de la corporation.

En als daer. Sint Anna nuch-ten-komt, ons hert-je die vol blyd-shap — is, en wy gaen al naer de — wer — ke en van de-werkenaerde Ker — ke, en van de werkenaerde ker — ke.

Quand vient le jour de la Sainte-Anne,
Dès le matin notre cœur est remplie de joie.
Nous allons à l'ouvroir
Et de l'ouvroir à l'église.
Nous marchons toutes deux à deux
A l'offrande, avec des chandelles de cire.
Quand la messe est terminée,
Nous sommes charmées de partir.
Nous partons de l'église
Et nous allons de l'église à l'ouvroir.

---

sont organisées devant les maisons des fabricants et devant les écoles dentellières. Les ouvriers chôment ce jour-là et se joignent aux festivités. Parfois, il y a des excès et, le Maire, afin de les freiner, est obligé de prendre des arrêtés :

Arrêté :

« Nous, Maire de la ville de Bailleul,
Vu les lois du 18 décembre 1789, 16-24 août 1790, 19-22 juillet 1791 et 18 juillet 1837,
considérant que depuis quelques années, aux approches de la fête de Saint-Anne, des groupes d'hommes et de femmes parcourent les rues de la ville et troublent par leurs cris et leurs chansons, la tranquillité publique, que ces scènes

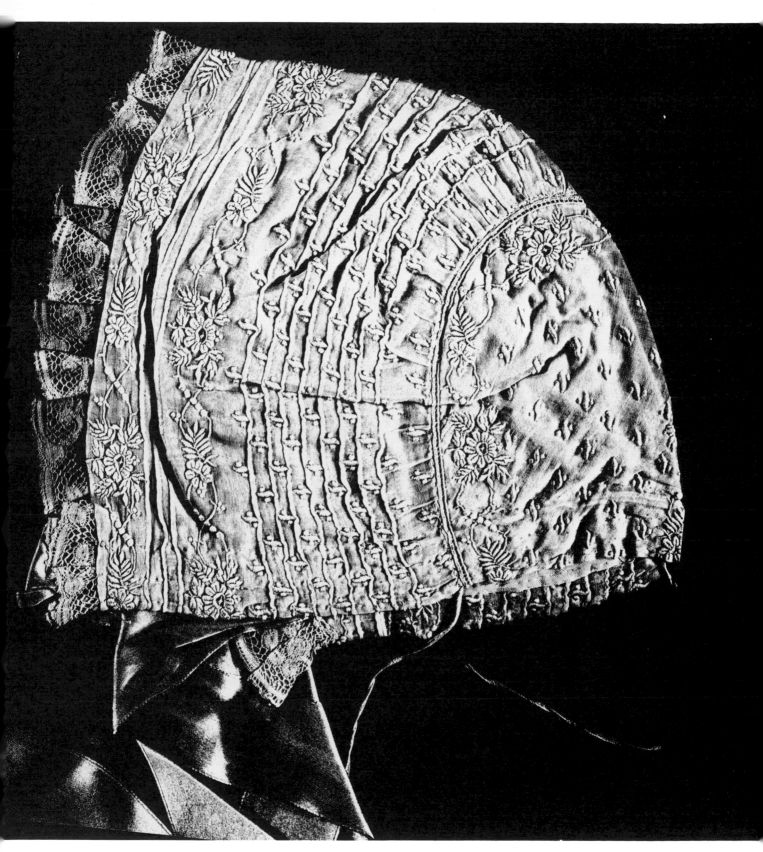

19. Bonnet d'enfant orné d'une dentelle genre Valenciennes, décorée
de boules.

tumultueuses ne constituent pas des amusements auxquels il peut être permis de se livrer à l'occasion de ladite fête;

Considérant qu'il entre dans notre attributions et qu'il est de notre devoir de réprimer les scandales et de prendre toutes les mesures convenables pour assurer le bon ordre, ordonnons :

— **art. 1er** : A l'occasion de la fête de Sainte-Anne, les danses et les réjouissances dans les rues de la ville ne pourront avoir lieu que pendant les journées spécialement affectées à la célébration de cette fête, et seulement entre les enfants ou les personnes du sexe féminin à l'exclusion de tous les hommes.

Ces divertissements ne pourront commencer avant 7 heures du matin, ni se prolonger au-delà de 8 heures et demi du soir.

— **art. 2** : Les contrevenants au présent arrêté seront poursuivis conformément aux lois.

Bailleul, le 2 juillet 1858
Le maire
H. Bieswal, adjoint.

La fin du siècle voit le nombre d'écoles et d'élèves diminuer. En 1888 : 4 écoles, 200 élèves; en 1899 : 3 écoles et 100 élèves. Trois facteurs sont déterminants dans la désaffection enregistrée pour la pratique de la dentelle : les lois scolaires, la concurrence belge, les usines.

Lois scolaires : l'article 15 de la loi de 1882 autorise la commission scolaire et le conseil départemental de dispenser d'une des deux classes de la journée les enfants en âge d'apprentissage. L'apprentissage de ce fait ne peut se faire qu'à compter de 13 ans. La tradition, par contre, veut qu'une dentellière apprenne à manier les fuseaux dès l'âge de 5 ou 6 ans.

La concurrence belge est également de plus en plus acharnée. D'après les chiffres fournis par la douane, les dentelles déclarées en 1890 ont une valeur de 141.316 francs; en 1891 : 320.196 frs; en 1892 : 978.170 frs; en 1893 : 1.148.103 frs; en 1894 : 1.819.680 frs; en 1895 : 1.975.776 frs. Ces chiffres officiels ne tiennent pas compte de l'organisation d'importants réseaux de contrebande. Celle-ci se fait aussi bien avec des chiens dressés à cet effet qui traversent la frontière avec des pièces de dentelle dissimulées entre leur pelage et une autre peau dans laquelle ils sont enveloppés, que sous les jupes des femmes ou encore cousues comme ornement sur leurs robes.

Enfin, les femmes commencent à aller travailler en usine. Elles y gagnent un salaire plus intéressant avec une fatigue moindre. Une usine de tissage mécanique vient d'ailleurs, d'être créée à Bailleul ainsi qu'une importante grapperie.

Dans ces conditions, les écoles de dentelles ne sont plus très fréquentées comme le prouvent les renseignements sur le fonctionnement d'une école dentellière donnés à Madame Vigneron, Inspectrice des écoles techniques, par la sous-préfecture en 1899 :

— Nom de l'établissement : école dentelle.

- Son caractère : privée.
- Historique : créée en 1856 et encore gérée par Mademoiselle Euphrasie Roeland, dentellière, en sa demeure, rue du musée, 55 à Bailleul; et fonctionnant sous sa direction personnelle.
- But de l'enseignement : fabrication à la main de la dentelle dite de Valenciennes.
- Organisation de l'enseignement : l'apprentissage est long et dure de 4 à 5 ans — 6 heures de travail en moyenne.
- Matériel d'enseignement : chaque apprentie possède son carreau, les fuseaux et le fil.
- Installation matérielle; dans une salle au premier étage de la maison habitée par la maîtresse de l'école.
- Personnel : une maîtresse.
- Rétributions scolaires : chaque élève paie une rétribution de un franc par mois.
- Les élèves travaillent pour leur compte personnel, c'est-à-dire que la dentelle faite par chacune à l'école lui est laissée.
- Effectif : au 1er janvier 1899 : 30 élèves dont 5 en première année; 7 en deuxième année; 8 en troisième année; 6 en quatrième année et 4 en cinquième année.
  L'école est patronnée par Mademoiselle Anna Panvier, marchande de dentelle.

Aujourd'hui

Il n'y a plus que deux écoles dentellières à Bailleul. L'école primaire qui dispense un enseignement de quelques heures par semaine et l'école de Mademoiselle Roeland qui appartient à Madame Grignet. L'école privée de Mademoiselle

20. Dentellières sur le seuil de leur porte.

Roeland est transformée en 1902 en cours professionnel dont elle est nommée directrice. Afin de maintenir ce cours en activité, l'Etat versera à la directrice 20 francs par élève et par an et le conseil municipal : 150 francs par an. Les petites filles suivront, alors, gratuitement l'enseignement dentellier. Mademoiselle Roeland se charge de vendre les dentelles des élèves, et prélève 5 % sur le montant de la vente. L'autre cours de dentelle de Bailleul se trouve inclus dans l'école primaire. Il a été créé à la suite du décret du 3 mai 1904 organisant l'enseignement dentellier en France (Loi Engerand Vigouroux).

Dans les villages de la région de Bailleul on trouve soit un cours dans une école primaire soit une école tenue par une vieille dentellière. A Meteren en 1906, un cours est établi dans l'école publique de filles dont la direction est donnée à Madame Colard. C'est son mari qui vend les dentelles réalisées moyennant une commission de 5 %. Par la suite le curé va fonder une école gratuite ouverte le jeudi. Il percevra lui aussi une commission de 5 % sur les pièces de dentelle qu'il remet à Madame Grignet, couturière à Bailleul, ancienne propriétaire de l'école de Mademoiselle Roeland. On dénombre trois cents dentellières professionnelles à Meteren.

En ce début de siècle les conditions de travail ou plutôt d'exploitation de la dentellière n'ont pas beaucoup changé : une dentellière travaille la plupart du temps chez elle. Sa maison est modeste mais très propre. Tous les samedis le carrelage rouge est nettoyé à « grand'eau » et souvent le mobilier est frotté à la brosse et lavé à l'eau savonneuse. Les murs intérieurs sont décorés d'images pieuses et d'almanachs. Le mobilier est simple. A côté du pied à crémaillère (saantje) qui supporte son carreau, se trouve une petite table sur laquelle est posée la classique boule de verre. Le soir, cette boule remplie d'eau laissera passer la lueur de la chandelle placée derrière pour mieux éclairer son métier en faisant loupe.

La dentellière, lorsqu'il fait beau, s'installe sur le seuil de sa maison comme toutes ses voisines. Vers le mois de juin elle quitte ses fuseaux et va s'occuper aux travaux de la terre : sarclage du lin, du blé, ou à la plantation du houblon. Lorsque le travail dans les champs est terminé elle revient à son « kussen » (carreau). Durant dix à douze heures par jour, elle va manier des milliers de fois ses « boutches » (fuseaux) pour réaliser le modèle de dentelle que lui a donné la patronneuse. Ce modèle est dessiné au préalable par un fabricant. Après 1903 cela ne peut être que Monsieur Huyghe ou Parein. Madame Colette, dernière patronneuse, et dentellière experte, échantillonne le dessin et en fait un patron sur un parchemin de préférence vert. Pour cela elle « pique « à jour » en indiquant les endroits où il faut planter les épingles.

Le salaire de la dentellière varie en fonction de la difficulté du travail qu'elle exécute mais aussi de sa rapidité d'exécution. Pour confectionner une aune de Valenciennes, de 3 centimètres de large, elle travaille 11 heures sans interruption. Elle est payée 75 centimes. Il faut déduire l'achat du fil qui est à sa charge soit 5 centimes. La sous-intermédiaire va prendre 5 %. La courtière ou « kooprruw », qui expédiera la dentelle à Bruxelles ou Paris, fixera sa commission d'intermédiaire à 10 %. Quant au bénéfice que réalise le marchand, d'après Verhaegen, il est de l'ordre de 525 % !!!

Après la destruction de la ville, en 1918, un Américain, William Nelson Kromuel, désireux de faire revivre la dentelle à Bailleul, fait don, en 1920, d'une école et d'une somme d'argent pour son fonctionnement. Mademoiselle Commen, nommée maîtresse, donne les cours d'enseignement dentellier jusqu'en décembre 1925. Mademoiselle Looten, ancienne élève de Mademoiselle Commen, assure la continuité en apprenant aux fillettes, jeunes filles, et toutes personnes intéressées, le délicat travail de la dentelle. Elle est lauréate au concours de la « Meilleure ouvrière de France » en 1935 et enseigne jusqu'en 1960.

Caractéristiques de la dentelle de Bailleul

Ce sont des fausses Valenciennes ou Valenciennes bâtardes à mailles rondes. Les toilés ne sont pas très réguliers. Les modèles sont toujours les mêmes et les dentelles sont utilisées en lingerie. On en fait également des empiècements de chemises, des bordures de mouchoirs. Les plus classiques sont :

Les pois et les boules :
Dentelle Valenciennes à mailles rondes ayant un à deux centimètres de hauteur ornée de pois ou de boules mates ou ajourées. Pour linge courant avec entre-deux assorti.

Les crevettes et les doubles crevettes :
Le nom de cette dentelle correspond au dessin. Hauteur : 1 cm à 1 cm 1/2.

Le Pater et la Vierge :
Dentelle à bord droit et mailles rondes ou carrées dont le bord est orné par endroit d'un pois plus ou moins fins. Hauteur : 1/2 centimètre. Est utilisée pour les bonnets d'enfants dont la dentelle est plissée.

Les chapelets et les Ave Maria :
Mailles rondes ou carrées, bords droits parsemés de pois, hauteur : 1/2 centimètre.

Il y a encore des dentelles à bords droits et à fabrication bon marché, dont le nom est fonction soit du dessin : le chapeau du curé, le croissant, les hachettes, (en flamand kapmestres), les petites vapeurs (vapeurkes), soit du nom de la fleur qui est dessinée : la tulipe, la pensée, la marguerite, la rose, la fleur de lys, l'abeille, la palmée.

Lille

81 — LILLE · La Rue Nationale · E. C.

Lille, du latin Insula, s'appelait Ryssel en Flamand. Son nom proviendrait du premier village dans lequel était construit un château datant des derniers siècles de la nation romaine. La ville appartient d'abord aux Comtes de Flandres. Pendant un court laps de temps, vers 1504, elle est propriété de Henri III. En 1213 elle va subir trois sièges, deux de la part de Philippe Auguste et un du Comte Ferrand. Détruite et reconstruite, elle est jointe, en 1297, par Philippe Le Bel, au domaine royal. Restituée par Philippe Le Hardi, elle passe à la Maison d'Autriche et reste, pendant deux siècles sous domination espagnole. Louis XIV la reprend en 1667 et signe le traité d'Aix-la-Chapelle. Il charge Vauban d'édifier des fortifications. Elle est reprise en 1708 mais le traité d'Utrecht liera définitivement le destin de Lille à celui de la France.

XVIᵉ et XVIIᵉ siècles

En 1582, la corporation des dentellières de Lille est représentée par une importante délégation à l'occasion de l'entrée du Duc d'Anjou dans la ville. Les dentellières sont revêtues d'un costume qui les distingue : « un pardessus de callemande rayée et un bonniquet de toile fine plissée à petits canons, une médaille d'argent pendue au cou par un petit liseré noir ».

Le traité d'Aix-la-Chapelle en 1667 donnant Lille à la France, occasionne le départ de nombreuses dentellières qui vont se fixer dans la région de Gand.

Les dentelles qu'elles confectionnent sont très simples et s'apparentent sûrement aux passements. La dentellière réalise sa dentelle, blanche ou noire, à fils continus, sur un

22. Métier avec la roue au centre qui permet de fixer le modèle sans solution de continuité dans le dessin. (Encyclopédie de Diderot et d'Alembert.)

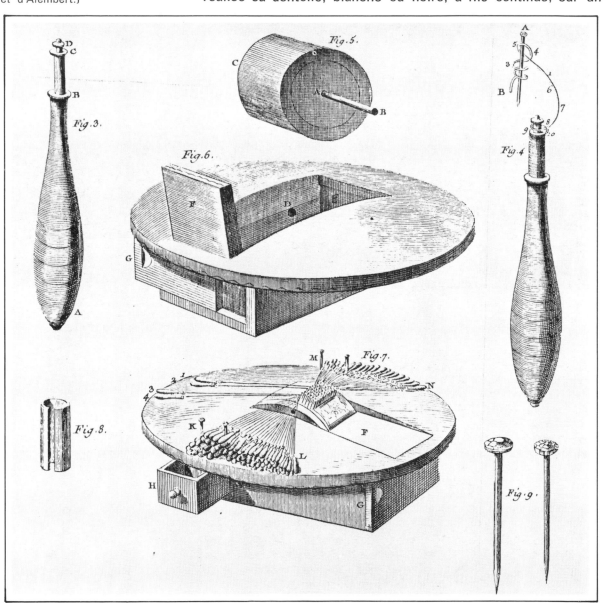

métier au centre duquel se trouve une roue. Le modèle est fixé sur cette roue sans solution de continuité. Les broquelets (fuseaux) sont nombreux et très fins. Elle va les croiser des milliers de fois durant les douze ou quatorze heures que comporte sa journée de travail. Comme toutes les dentellières d'Europe, elle terminera son ouvrage à la lueur d'une bougie placée derrière une boule de verre, remplie d'eau pure, faisant loupe et éclairant davantage son travail. Au long des heures, des mètres de « mignonnette » (dentelle étroite) vont s'écouler lentement et au long des ans la morphologie de la dentellière va se modifier : son dos va se voûter, sa poitrine se ressérer. Il est certain qu'elle n'arrivera pas à un âge avancé.

23. Dentelle à dessin précieux; époque Louis XV.
24. Jeune bourgeoise maniant les broquelets.

XVIIIe et XIXe siècles

En 1723, lors du mariage du Duc de Boufflers avec Mademoiselle de Villeroi, les magistrats de la ville leur offrent pour quatre mille livres de dentelles confectionnées à Lille. Savary écrit qu'à la même époque l'Hôpital de Lille renferme sept cents ouvrières travaillant aussi bien la dentelle genre Lille que Valenciennes ou Malines. Les articles réalisés dans la ville de Lille sont bon marché du fait du « fond clair » qui se confectionne très rapidement. Cet aspect économique ajouté à celui du goût pour les hautes dentelles noires également confectionnées à Lille font qu'un réseau important de contrebande s'organise vers l'Angleterre. Des quantités considérables de dentelle sont ainsi « exportées ».

En 1789, les statistiques du Nord révèlent que dans l'arrondissement du Nord, comprenant les communes d'Esquermes, Haubourdin, Loos, on dénombre quatorze mille dentellières (dont treize mille six cents pour Lille) et deux mille apprenties. Durant l'année, elles vont confectionner cent vingt mille pièces de dentelles dont les prix s'échelonnent de trois francs à cent vingt francs l'unité. La fabrication totale atteint la somme de quatre millions de francs.

25. Dentelle réalisée en Belgique
pour orner les coiffes des Hollandaises; on les appelait : « Lille-
Hollandaise ».

26. Dentellières au travail en milieu bourgeois (Encyclopédie de Diderot et d'Alembert).

En 1809, le prix du fil augmente de trente pour cent. Les fabricants vont devoir, de ce fait, modifier les dessins qu'ils donnent pour exécution aux dentellières. Les dimensions des mailles composant le fond vont être agrandies afin de d'utiliser moins de fil. En règle générale, une pièce de dentelle mesure de dix à douze aunes soit sept ou huit mètres. Compte tenu de la modification du fond, une dentellière va confectionner dix pièces au lieu de huit. Presque toutes les coiffes de France sont ornées du point de Lille.

La fin du siècle voit apparaître la concurrence de la dentelle mécanique. Afin de survivre, les fabricants de dentelle vont innover dans le dessin et imposer la rose sertie d'un fil plus gros et les semés de points d'esprit. Malgré leurs efforts, on ne compte plus que mille six cents dentellières en 1851.

Les implantations d'usines sont de plus en plus nombreuses, aussi la dentellière déserte son carreau pour aller y travailler. Elle est sûre, sans apprentissage, de gagner un salaire plus élevé que celui qu'elle touche en faisant de la dentelle. Vers 1870, à Lille, s'arrête la production de la dentelle à la main. Elle continuera à être confectionnée en Belgique, à Turnhout, Anvers, Marche.

Malgré la disparition de la dentellière, son image est restée gravée dans le cœur des Lillois. La chanson populaire s'en est emparée et le « Petit quinquin » a été fredonné non seulement par les Lillois mais par toute la France :

« Dors mon p'tit quinquin
Min p'tit pouchin
Min gros rojin
Te m'fras du chagrin
Si tu n'dors point qu'à demain

Ainsi, l'aut'jour, eun' pauvr'dentellière
In amiclotant sin p'tit garchon,
qui d'puis trois quarts d'heure, n'fayot qu'braire
Tachot de l'indormir par eun'canchon. »

Desrousseaux.

27. Saint-Nicolas, patron des dentellières de Lille.

40

La Fête du broquelet

Saint-Nicolas, patron des dentellières de Lille, est honoré le 9 mai. Une grande fête appelée la fête du broquelet, réunit durant une semaine toutes les corporations utilisant le lin. En effet, si au début, seules les dentellières, dont le broquelet est l'outil de travail, organisent les festivités, très vite les filetiers, les négociants en fil, en coton et en toile, les ouvrières des manufactures de coton se rangent sous la crosse de Saint-Nicolas. Le jour de la fête, les villages autour de Lille se vident de ses habitants qui convergent vers les lieux de réunion. Le signal des réjouissances est donné le lundi qui suit le jour de la fête de Saint-Nicolas. Afin que nul ne l'ignore, le guetteur de l'église Saint-Etienne l'annonce au son d'une trompe. Alors des centaines d'enfants accourent et il leur est jeté, du haut de la tour, des milliers de petits gâteaux. La bouche pleine, ils partent en courant vers l'Hôtel de ville pour recevoir des « nieulles » multicolores (gâteaux). Vers 10 heures, un syndic fait flotter une bannière au sommet de la tour Saint-Etienne. C'est le moment choisi pour décorer les maisons de guirlandes, de feuillages, de draps parsemés de fuseaux dorés. Des dentellières se promènent dans les rues, la tête couronnée de roses et de broquelets.

Les ateliers rivalisent d'imagination pour l'organisation du plus beau cortège. Chaque jour a une animation différente : un mannequin habillé en paillasse est promené le mercredi. Le vendredi les ateliers et écoles font le tour de la ville en suivant le char, dans lequel se trouvent les deux maîtresses dentellières, portant des broquelets et vêtues de leurs plus beaux vêtements. Le dernier jour, un homme revêt le costume de Saint-Nicolas, il est promené dans un char avec trois petits garçons accroupis dans une cuve. Près du Grand Tournant, les enfants sont libérés et Saint-Nicolas jeté à l'eau.

Durant les fêtes, les femmes ont, seules, le privilège d'organiser les manifestations et d'inviter les personnes qu'elles désirent. Les patrons acceptent avec empressement les invitations des dentellières.

28. Dentelle pour coiffe avec semé de points d'esprit carrés.

Caractéristiques de la dentelle de Lille à fils continus

XVIe siècle : La dentelle blanche ou noire, est de forme traditionnelle, apparentée à la passementerie. Elle est appelée « chenilles » ou « couleuvres ».

XVIIe siècle : Les mailles sont fines. Les motifs, soulignés par un fil de contour, sont dépouillés et simples. La bordure est droite.

XVIIIe siècle : Le dessin délicat mais un peu raide se détache sur le fond clair très fin.
Les hautes dentelles noires se confectionnent toujours et se classent dans les Lilles fleurie. Le bord est droit.
Lorsque les dentelles de Lille étroites sont dentellées elles s'appellent « paillasse », « polichinelle », « guignol », « diamant », « tête de mort », « cerf-volant », « chat », « papillons », « horloges », etc... Les dentelles étroites à bord droit s'appellent, en s'inspirant de la forme du dessin, les petits ou grands balais, les cœurs brûlants, le Français, les sept boules, les petits poissons, les grandes et petites médailles.

XIXe siècle : On trouve de grands rinceaux à fleurs ou à gerbes dont le centre renferme des jours mouchetés. Les contours des fleurs sont mis en relief par un fin cordonnet. Le fond à mailles plus larges demeure très fin et léger, il est garni d'un semé de points d'esprit carrés. La bordure peut être festonnée. La rose est souvent présente. On ne fabrique plus du tout de dentelle noire.

29. Très fine dentelle d'époque Régence.
30. Belle réalisation d'époque Louis XV.
31. Début XIXe siècle : apparition du semé à points d'esprit carrés.

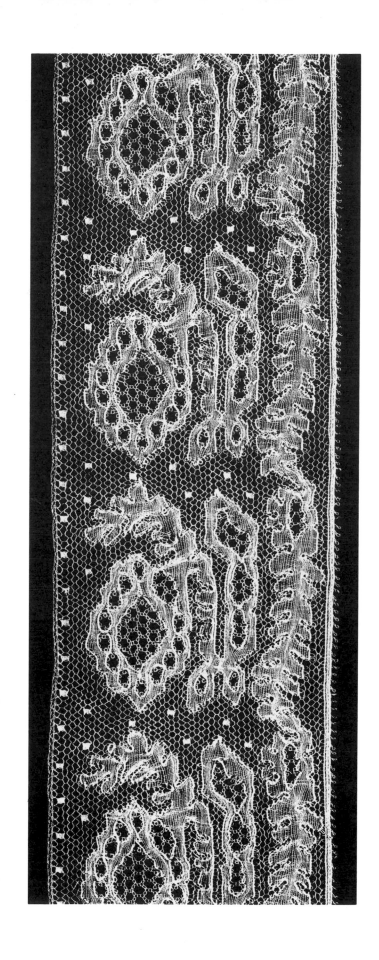

32. XIXᵉ siècle. De grands rinceaux à fleurs envahissent le fond.

Valenciennes

Ville d'origine romaine, Valenciennes, capitale du Hainaut fait partie des provinces espagnoles appelées Pays-Bas jusqu'en 1677, date de son annexion à la France par Louis XIV.

33. Ancien Hôtel de Ville de Valenciennes.

Au début du VIIIe siècle, Harlinde et Reinelde, filles d'Alard de Denain fondent l'abbaye de Saint-Jean et y enseignent la broderie. Au XIVe siècle, Valenciennes devient un centre important de broderie et impose en 1365 le même règlement à cette profession qu'à celle des peintres ou sculpteurs. La tapisserie de haute-lisse s'installe à Valenciennes au début du XIVe siècle et va subir au cours des années bien des vicissitudes. La passementerie est implantée dès la première moitié du XVIe siècle mais n'atteint jamais une très grande importance. Il est nécessaire, également, de mentionner la pratique, à un haut niveau, du dessin, de la peinture, de l'enluminure (évangéliaire enluminé conservé à l'église de Moreseyek), de la miniature et de la sculpture du VIIIe au XVIIe siècle.

L'essor de la dentelle à Valenciennes, très marqué dès 1617, est dû principalement :

— à la proximité de la matière première : le lin est cultivé dans la vallée de la Scarpe depuis le Moyen-Age;
— à l'industrie des toiles fines et batiste qui est florissante;
— aux nombreuses fileuses, expertes, travaillant pour des retorderies;
— au passé historique de la région dans l'art textile : la broderie, la tapisserie et la passementerie sont pratiquées avec un égal bonheur dans la ville.

Au XVIe siècle et au XVIIe siècle de nombreux couvents de femmes s'établissent dans le Hainaut. Pour leur procurer des ressources, Charles-Quint ordonne que l'on y confectionne des dentelles. Enfin, il est bon de souligner la proximité d'Arras, Bruxelles et Anvers, villes avec lesquelles Valenciennes entretient des relations commerciales et qui pratiquaient déjà l'art de la dentelle. Comment déterminer la date approximative des premières fabrications de dentelle dans la région ? Il semble que ce soit au tout début du XVIIe siècle (1600/1615) puisque vers cette époque on vend des bloquelets (fuseaux) dans la ville.

En effet, en 1656, les cariotteurs et fustaillers demandent le privilège d'être les seuls à vendre « cabit et coussin à faire dentelle ainsi que les bloquelets de toutes sortes de bois ». Un certain Jean Osias, âgé de 66 ans, atteste que depuis 46 ans il a vendu lui-même et vu vendre ces mêmes articles par les cariotteurs, ajoutant qu'en ce qui concerne les « vendans coussins à faire dentelle venant d'Anvers ou d'ailleurs, ils devraient payer aux cariotteurs quelque droit pour ce faire ». Les dentellières se servent aussi d'épingles et de modèles en parchemin; or, la corporation des épingliers se donne un règlement en 1593 et l'industrie des parcheminiers la possédait dès le XVe siècle.

Suprématie de la Valenciennes au XVIIe siècle grâce à Françoise Badar (21.1.1624-31.10.1677)

Il est nécessaire de citer des peintres contemporains de Françoise Badar, pour situer le milieu dans lequel elle vit : Ter Borch, Murillo, Velasquez, Van Dick, Rembrandt, Vermeer de Delft. Son époque se place sous l'influence de Philippe IV d'Espagne, Louis XIII, la Régence et Louis XIV. La dentelle s'apprend alors dans les couvents (religieuses de Sainte-Agnès 1617 — Ursulines, etc.) mais, sans aucune recherche dans le dessin ni amélioration dans la technique, du fait de la règle monastique très traditionnaliste.

Françoise Badar va lui donner une impulsion toute nouvelle. A sa naissance en 1624, Françoise Badar est portée par ses parents en l'église Notre-Dame du Saint-Cordon et vouée à la Vierge. D'après une légende, sa mère aurait eu une vision : « Dieu est décidé à se servir de notre Françoise pour de grandes choses ». Orpheline de mère

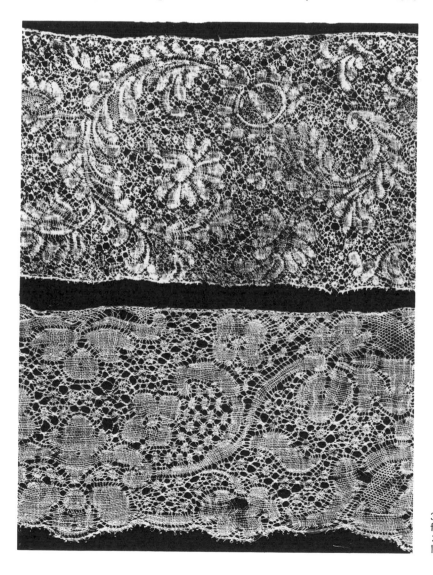

34. Valenciennes ayant subi l'influence d'Anvers.
35. Très belle Valenciennes de l'époque Badarienne.

très jeune, elle doit quitter, à l'âge de quinze ans, sa ville natale, alors espagnole, pillée par les soldats français. Françoise Badar se rend à Anvers pour travailler dans une maison de commerce. En fait, deux demoiselles l'hébergent et lui apprennent le métier de dentellière. Bien que ne l'ayant jamais pratiqué à Valenciennes, elle se passionne pour cette technique et fait de très rapides progrès. Plusieurs dames d'Anvers lui amènent leurs filles pour qu'elles les initie à toutes sortes de dentelles. Il s'agit de l'ancien point de Flandre, tissé plat et serré, orné de fleurs rapprochées.

C'est à Anvers que, dans la chapelle des Recollets, devant une image de la Vierge, elle a une vision qui dure plusieurs heures et qui décide de sa vocation religieuse. Après un séjour de six ans à Anvers, Françoise Badar revient à Valenciennes avec un pécule qui lui permet d'installer un ouvroir (1646).

Plusieurs jeunes filles viennent appprendre à faire de la dentelle et Françoise crée un réseau commercial propre à écouler leur production. Deux ans après, elle agrandit son ouvroir et augmente le nombre d'ouvrières. Certains commerçants se ruinent en voulant la concurrencer, et cependant aucun ne verse des salaires aussi élevés que ceux que Françoise donne à ses ouvrières. C'est à cette époque que Françoise Badar introduit le fond de neige et les brides dans la dentelle de Valenciennes, qui de ce fait a un aspect beaucoup plus aéré.

Installée maintenant à Valenciennes depuis dix-huit ans, Françoise y est présente lorsque la ville est attaquée par les soldats français. Sa maison est même endommagée par des boulets de canons, mais finalement, Condé, allié aux Espagnols, repousse les armées de Turenne, Maréchal de France. L'activité dentellière de Françoise, qui a continué durant la guerre, s'accroît la paix venue, et elle va commercer avec Bruxelles, Anvers, Ostende, Reims.

En 1661, Françoise Badar fonde la communauté des religieuses de la Sainte-Famille dont elle devient supérieure et achète une grande maison pour les héberger. On y accueille bientôt deux ou trois cents ouvrières orphelines ou filles déchues. Le profit que l'on tire de leur travail contribue à payer leur pension. En 1665, à la suite de l'action menée par Colbert en faveur de la dentelle française, il est proposé à Françoise Badar d'organiser des ouvroirs à Reims, Le Quesnoy et Arras. Mais les résultats escomptés ne sont pas atteints et les dentellières de ces régions reviennent au travail traditionnel. En 1667, une nouvelle guerre éclate entre la France et la République des Provinces Unies et plus de cinq cents boulets tombent sur Valenciennes. A la suite de la réddition de la ville, les nobles français se précipitent chez Françoise Badar et lui achètent toutes ses dentelles, ce qui témoigne de la réputation de celles-ci.

Françoise meurt dans la maison qu'elle a fondée, le 31 octobre 1677. Mais le rayonnement de son action ne s'éteint pas avec elle. Dans de nombreux couvents on va continuer à faire de la dentelle et à l'enseigner. Puis, débordant le cadre des couvents, cet apprentissage se propage dans d'autres paroisses limitrophes et plus loin encore : Yvres en 1684, Avesnes en 1690, Binche en 1697.

I. Langlois Scup.

MADEMOISELLE FRANÇOISE BADAR
FONDATRICE ET PREMIERE SUPERIEURE DE LA
CONGREGATION DES FILLES DE LA STE FAMILLE
A VALENCIENNES. DECEDEE LE XXXI.e D'OCTOBRE
M.DC.LXXVII. AGE DE LIIII. ANS.

Les conditions de travail vers 1700

Dès l'âge de 6 ou 7 ans les petites filles, le plus souvent pauvres ou orphelines, commencent l'apprentissage de la Valenciennes, qui durera 5 ou 6 ans. La dentellière commence, la plupart du temps, sa journée à 5 heures du matin et la termine vers les 8 heures du soir. En hiver, elle prolonge la veillée et s'éclaire alors grâce à une boule de verre remplie d'eau derrière laquelle est placée une bougie. Le faisceau lumineux traversant la bouteille le diffuse plus précisément. La dentelle de Valenciennes se confectionne en principe dans des caves humides. Le fil de lin travaillé à l'abri du jour garde sa blancheur et, gorgé d'humidité, se casse moins facilement. A quarante ans, ces femmes perclues de rhumatismes doivent interrompre leur travail en raison de maladies oculaires.

La dentellière reçoit un modèle d'un fabricant en gros installé dans la ville. Il lui fournit également le fil. Des acomptes lui sont versés au fur et à mesure de l'avancement de la commande lorsque celle-ci est importante. La pièce terminée, le fabricant fait l'estimation du travail et propose un prix que la dentellière a la liberté de refuser. Dans ce cas il lui faut rembourser les avances, payer le fil et le modèle. Cette possibilité est exclue, eu égard au maigre budget de la dentellière qui vit au jour le jour.

La dentellière est propriétaire du carreau, des 1.500 épingles de cuivre et des 8 ou 900 fuseaux qu'elle utilise. En effet, elle a besoin d'un minimum de 800 fuseaux pour monter une dentelle de 10 centimètres de large. « Pour en confectionner un centimètre, elle doit manier dix fois les 800 fuseaux et comme chacun de ces fuseaux se passe d'une main à l'autre au moins huit fois pour un seul réseau, il en résulte un déplacement de 6.400 fuseaux et de 6.400.000 pour un mètre ». (Le poinct de France de Laprade). Il faut ajouter à cette manipulation le temps perdu à débrouiller ces innombrables fuseaux et l'on a une idée de celui qui est nécessaire pour confectionner seulement une garniture de bonnet composée de 3 mètres de dentelle et qui vaut 1.500 livres.

Une dentellière de Valenciennes confectionne 35 à 40 millimètres de dentelle tandis qu'une dentellière de Lille en fait, dans le même temps, 3 mètres à 3 mètres 50, car le point est plus simple. De belles manchettes demandent dix mois de travail.

Heurs et malheurs au XVIIIe siècle

Pour protéger la fabrication locale, des impôts et taxes frappent les dentelles en provenance de l'extérieur. Mais bientôt, une difficulté importante vient freiner la fabrication de la dentelle : l'impossibilité de se procurer du fil de lin. Ce fil est affecté par voie autoritaire du magistrat à la fabrication des toiles fines et batistes qui rapportent davantage à la ville. De plus, l'interdiction d'installer des retorderies a pour effet de rendre rare et donc chère cette matière d'œuvre.

A la fin du règne de Louis XIV (1702-1722), la fabrication de la dentelle décline à Valenciennes où l'on ne compte plus que quatre ou cinq fabricants. Pour remédier à cette crise, la municipalité de Valenciennes continue l'œuvre des précédentes municipalités, c'est-à-dire l'assistance par le travail. Le Prévôt Maloteau de Villerode ouvre un hospice pour enfants pauvres. L'initiation aux travaux manuels est imposée, et bientôt 300 orphelins font de la dentelle dans des ateliers à filer le lin ou travaillent dans un magasin de fils à retordre.

Les difficultés n'en demeurent pas moins importantes :
— fils rares et chers (la fabrication locale est insuffisante);
— manque de débouchés;
— charges imposées par la France après la prise de la ville;
— emprunts que Valenciennes ne peut rembourser;
— augmentation des droits d'octroi sur la matière d'œuvre;
— concurrence avec le Point de France qui est protégé et fort à la mode maintenant auprès des nobles et du clergé;
— droits très élevés taxant les dentelles de Valenciennes à l'entrée des autres villes.

En 1727, l'intendant Moreau de Séchelles, désire restaurer, avec l'aide de la municipalité, l'art de la dentelle. Il agrandit l'hospice pour enfants et en accueille un plus grand nombre afin de créer une pépinière d'ouvriers et d'ouvrières formés en cinq ans. Il se propose de les employer dans les manufactures dentellières qui vont s'ouvrir. Quatre enfants suivent également des cours de dessin.

Comme les fabricants sont obligés de faire blanchir les fils de dentelle en Hollande, l'intendant et la municipalité font venir un certain Vandoorn de Harlem. Ils lui donnent un terrain appartenant à la ville et une indemnisation pour son installation. Quelques temps après, Vandoorn produit un fil aussi blanc que celui de Hollande.

En 1734, on estime à 800 dentellières et à autant d'apprenties le nombre de celles qui manient les fuseaux. Le nombre de marchands est passé de cinq en 1723 à quatorze en 1734. Le système de Law et la spéculation favorisent en France le développement d'un luxe, éphémère peut-être, mais qui permet à un article, de grand luxe par essence, de trouver de nouveaux débouchés. De 1732 à 1740, on fabrique à Valenciennes toutes sortes d'accessoires vestimentaires en dentelle : barbe, manchettes, garnitures de robe, collerettes, ou tours de gorge. Les dentelles de Valenciennes, très fines et très solides, sont vendues alors à Bruxelles, Anvers, Paris, en Angleterre, en Espagne, dans les Indes occidentales et l'Amérique espagnole. Lima, excellente cliente, fait transiter ses achats par Cadix. La production locale est plus prisée que celle de Malines, Lille et Arras, bien que ces dernières soient en partie tout au moins, fabriquées dans la ville de Valenciennes.

Entre 1730 et 1740, se réalise, sur le plan technique, la transformation complète du réseau appelé aussi « treille ». Avec la maille carrée dont un angle pointe vers la lisière, c'est un nouvel essor qui se dessine. La Valenciennes est une dentelle à fil continu, sans relief et très solide. A cette époque, le travail est d'une grande pureté dans l'exécution, le dessin se modifie constamment et la nouveauté attire les acheteurs. Les débouchés sont de plus en plus importants et les relations commerciales s'étendent : outre les villes françaises de Paris, Rennes, Lille, Reims, Nevers, Bordeaux, Dieppe, des pays comme la Suisse, l'Italie, l'Angleterre, la Hollande deviennent des clients assidus.

Mais c'est à la cour que le port des dentelles se répand d'une façon incroyable, surtout auprès des favorites, la Pompadour et la du Barry qui « donnent le ton » à la noblesse, à l'armée et au clergé. Il est courant de voir des dames de haute naissance vendre leurs dentelles pour en acheter de nouvelles. Sur les 59 paires de manchettes que possède Louis XVI, 21 sont en Valenciennes, 28 en Point de France et 10 en Point d'Angleterre. Les dentelles font partie de l'héritage et se transmettent par testament avec les bijoux.

La vraie et la fausse Valenciennes

On appelle « fausse Valenciennes » celle qui est fabriquée à l'extérieur des murs de la ville. En effet, certains prétendent que tout en étant travaillée avec le même fil et sur les mêmes cartons que la vraie, cette dentelle n'a ni la perfection du dessin, ni la beauté, ni la solidité des véritables (appelées Eternelles). Il convient de préciser que les dentellières valenciennoises travaillent dans des caves dont l'humidité empêche le fil de lin de se casser et le protège également du jour; tandis que les dentellières hors des murs de la ville travaillent en plein air, ce qui sèche le fil et le rend plus fragile. Il se peut également que cette assertion ne serve

37. Sous le règne de Louis XVI : simplicité dans la composition du dessin, fleurs très grêles d'aspect.

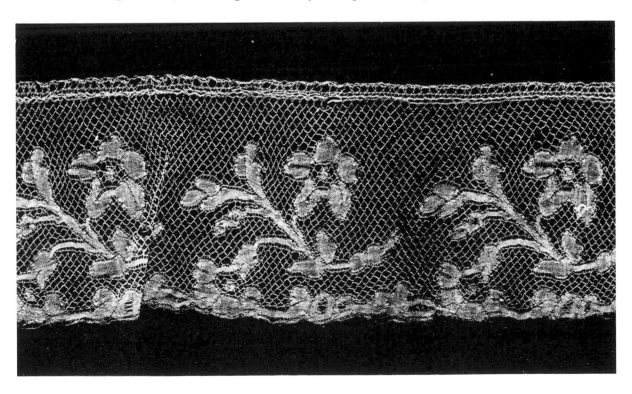

qu'à décourager certains fabricants de l'extérieur qui veulent reproduire la Valenciennes.

Appellation
Une dentelle de Valenciennes mesurant de 8 à 15 centimètres de large et dentellée s'appelle une « Berthe ». Au-dessus de 15 centimètres c'est un volant.

Vers 1773, la dentelle n'a presque plus d'acheteurs en France ni de clients à l'étranger. Cette situation est due en partie à la grande misère qui règne sur la France ainsi qu'à la cherté des matières premières.

D'autre part, la population de la ville est tombée de 2.800 habitants en 1740 à 1890 en 1778. Turgot en attribue les causes aux taxes perçues et à l'octroi. La concurrence est de plus en plus active, surtout avec les dentelles de Bruxelles, Lille et Arras, qui demandant moins de travail sont moins chères. A cette époque, la mode, très changeante en ce qui concerne les dimensions des pièces du vêtement, l'est aussi pour la forme des dessins. Les dentellières ne veulent plus travailler aux fuseaux, en raison du salaire misérable qu'elles perçoivent. Aussi ne trouve-t-on pratiquement plus de vraies Valenciennes.

A partir de 1760, le déclin s'accélère. il ne reste à Valenciennes et dans sa région que 4.000 dentellières, 2.000 en 1778, 1.000 en 1789. En 1785, il n'y a plus que deux piqueuses de dessin.

La révolution détruit tous les métiers artistiques et particulièrement la dentellerie qui est une industrie de luxe. Sa clientèle, constituée de nobles, du haut clergé et des gens riches, est morte ou a émigré à l'étranger. En juin 1793, les Autrichiens assiègent la ville et, en une seule nuit, 1.500 boulets s'abattent sur elle; au bout de trois mois de pilonnage, la ville, devenue amas de ruines, capitule. Pendant ce long siège, les dentellières qui n'ont pas trouvé la mort sont décimées par le scorbut ou la dysenterie. Quelques mois après la prise de Valenciennes par les Autrichiens, l'armée révolutionnaire française s'en approche pour la reconquérir. A ce moment-là, les derniers habitants émigrent dans la crainte de nouvelles représailles. Mademoiselle Tribout, dernière représentante d'une longue dynastie de fabricants de dentelle, quitte alors sa ville natale.

Déclin irréversible de la dentelle au XIXᵉ siècle

Les anciennes Valenciennes sont encore portées sous le Consulat, comme en témoigne le récit qui est fait d'un bal donné à Paris par Madame Récamier : « Le premier consul était attendu et de bonne heure l'élite de Paris remplissait les salons. Mais où est donc Madame Récamier ? Elle est souffrante, murmure-t-on, retenue au lit par une indisposition subite : toutefois, elle recevrait ses hôtes couchée. On passa dond dans la chambre à coucher, attenante à l'un des salons, selon l'usage, et l'on put contempler la plus belle femme de France étendue sur un lit doré, sous des rideaux du plus beau Point de Bruxelles à guirlandes de chèvrefeuille et doublés de satin rose tendre. Le couvre-pied était pareil et des oreillers de batiste brodée tombaient des flots de Valenciennes ».

Napoléon Ier qui admire la dentelle et l'assimile à une œuvre d'art, protège celles d'Alençon, de Chantilly et de Bruxelles et désire également faire revivre celle de Valenciennes. Chaptal, alors ministre de l'Intérieur, et le Préfet du Nord, donnent à la municipalité la somme de 4.000 francs pour fonder des centres dentelliers. Cette somme sert à régler les salaires des maîtresses et à équiper en matériel dentellier les ateliers nouvellement créés. L'apprentissage doit durer quatre ans pendant lesquels aucune rétribution n'est versée, mais seulement des primes allouées. Ces primes peuvent être également attribuées aux ouvrières travaillant pour leur compte ou pour celui d'un négociant, à la condition qu'elles participent à un concours. Enfin l'artiste qui a réalisé le dessin le plus élégant et le plus raffiné reçoit une prime.

Si, au début, la fréquentation de ces centres ne répond pas aux efforts déployés par les responsables, peu à peu, le nombre des dentellières augmente et, en 1802, on pouvait compter 60 enfants répartis en 3 ateliers. L'année suivante, le ministre de l'Intérieur accorde une nouvelle subvention de 4.000 Francs. Toutes ces aides, et les progrès réalisés permettent à la dentelle de Valenciennes d'obtenir une médaille à l'exposition des produits de l'Industrie Nationale. En 1805, on recense 90 élèves, 42 apprenties et 400 dentellières. Mais, hélas, les écoles, ne recevant plus d'aides, doivent fermer les unes après les autres.

Si vers 1814, 400 dentellières fabriquent 600 mètres de dentelle par trimestre, on n'en dénombre plus que 250 en 1823. La Valenciennes devient très chère et ne peut, de ce fait, concurrencer l'énorme quantité de dentelle bon marché qui arrive de Belgique, annexée depuis peu à la France.

En 1840, on ne peut compter que sur 50 dentellières, dont Mademoiselle Glairio presque toutes octogénaires, pour réaliser une coiffure que la Municipalité désire offrir à la Duchesse de Nemours. C'est la dernière pièce fabriquée à l'intérieur de la ville. Si la Valenciennes n'est plus à la mode, elle conserve tout de même une certaine clientèle : les personnes riches apprécient sa beauté et la classe moyenne, sa solidité.

Une nouvelle tentative va encore être faite pour ranimer ce métier. En 1843, trois fabricants, Philippe Marin de Bruxelles, Leboulanger de Paris et Madame Van Eckout de Bruxelles signent un accord avec la Municipalité et les hospices pour des locaux et des subventions. Un règlement est établi, concernant les salaires, la matière première, la surveillance, les primes de travail. Malgré le patronnage de la Reine, cet essai ne dure que cinq ans.

La dentelle de Valenciennes à mailles carrées s'est merveilleusement bien implantée à Bailleul mais surtout en Belgique, à Ypres et Gand, comme on a pu le constater à l'exposition de Londres en 1850. Elle devient, dans ce pays, la base du commerce dentellier, et la France va lui en acheter pour douze millions par an.

En 1870, il ne reste que quelques vieilles dentellières dans les hospices de Valenciennes.

38. Le travail est moins minutieux, le toilé plus grossier, le fil n'a pas la ténuité du siècle passé.
39. Vieille dentellière au travail.
40. Valenciennes du Brabant; technique crochetage; XIXᵉ siècle.

Nouvelles tentatives au XXᵉ siècle

Nouvel essal le 2 février 1908 avec le concours de la Chambre de Commerce et de la Municipalité. Une grande salle de l'hôtel de ville est alors offerte aux 40 premières élèves de dentelle des Demoiselles Leblond qui ont été initiées par leur grand-mère. Le nombre d'élèves va croissant, et, après des déménagements successifs, des apprenties et même des ouvrières sont formées et l'on peut espérer voir éclore une nouvelle génération de bonnes dentellières professionnelles.

Hélas ! Valenciennes, ville frontière est une des premières à être envahie. Le 25 août 1914, la ville est assiégée par les Allemands qui veulent ramener des dentelles chez eux, comme les officiers de Louis XIV dans le passé. Certains iront jusqu'à étudier la technique dans quelques ateliers. Mais les cours cessent, faute d'élèves et de crédits, et les résultats escomptés n'ont pu se réaliser.

Toutefois, après la guerre l'idée est reprise par la Compagnie des Chemins de Fer du Nord à l'initiative de Monsieur Dautry, ingénieur de celle-ci. Il a une aide précieuse, en la personne de Mademoiselle Marguerite Grange, surintendante des œuvres sociales de ladite Compagnie. La Chambre de Commerce et la Municipalité contactées accueillent le projet avec grand intérêt et font venir Mademoiselle Thys, diplômée d'Histoire de l'université de Gand, ancienne élève de l'école de Bruges pour donner les premiers cours. En mars 1926, 80 élèves suivent ses leçons. Tout en respectant les formes traditionnelles, les élèves doivent inventer de nouveaux dessins dans un style plus moderne. Un des soucis majeurs du Comité de patronnage est de surveiller attentivement la réalisation et l'authenticité des dentelles élaborées aux Ecoles académiques. Certains cours sont donnés au centre social de la S.N.C.F. et, avec l'accord de Monsieur Chopinat, Inspecteur primaire, dans certaines écoles primaires de la ville; en particulier à l'école de filles de Saint-Waast-là-Haut dont la directrice est Madame Hofman et l'institutrice adjointe chargée de cours, Madame Mouthy, Mademoiselle Thys est spécialement chargée de la formation des membres du corps enseignant. En 1935, Monsieur Pierre Lardin, décorateur parisien connu et instigateur d'une première collaboration avec Mademoiselle Thys, crée un concours de dentelle de Valenciennes. Tous les ans, en fin d'année scolaire, des projets de napperons, pochettes, sont dessinés et exécutés.

Plusieurs élèves formées dans ces divers cours obtiennent des récompenses, en particulier, le titre de « Meilleur Ouvrier de France ».

La seconde guerre mondiale interrompt momentanément cette activité. Mais en 1957, sous l'impulsion de Monsieur Jules France, Premier Grand Prix de Rome, ancien élève de Monsieur Lardin, les cours des Ecoles académiques reprennent et la technique de la Valenciennes est à nouveau enseignée par Mademoiselle Thys et incorporée dans l'enseignement artistique. Mademoiselle Thys disparaît en 1962 et l'on craint alors la fin de cette expérience. Pourtant, une des jeunes élèves de Mademoiselle Thys prend sa suite, il s'agit

41. Riche pochette avec bordure en dentelle de Valenciennes et fines broderies au point sablé.

de Mademoiselle Marie-Claude Dewalle qui, avec persévérance et compétence continue l'action menée par son ancien professeur. Depuis lors, Mademoiselle Dewalle, devenue Madame Duvant, enseigne toujours dans le cadre des Ecoles académiques la technique de la Valenciennes à une cinquantaine d'élèves.

Afin de rentabiliser la Valenciennes, on trouve quelques points de vente en ville (Syndicat d'initiative, magasins).

Evolution des styles et des techniques dans la Valenciennes

La Valenciennes est une dentelle aux fuseaux à fils continus dont le réseau et les motifs se travaillent en même temps. Le textile est du lin le plus fin, cultivé dans les marais d'Hasnon, proches de Valenciennes.

1615   Inspiration Vénitienne

Dessin   Genre vermiculé, confus, compact lourd
La bordure est droite, succession ininterrompue de motifs : volutes, fleurs, guirlandes.

Technique   Absence de fond ou réseau
Cordes de 2 ou 4 fuseaux servant à relier les motifs entre eux
Points utilisés : toilé ou mat, cordes ou tresses, pointons, lisières

1615/1650 Style Philippe IV : Epoque Badarienne avec influence d'Anvers

42. Epoque Badarienne; le point de neige est très caractéristique et allège l'ensemble.
43. Très fine dentelle à feuillage. La grille apparaît dans ce travail très bien structuré.
44. On remarque quelques points de neige; fin XVIIe siècle.
45. Guirlande de feuillage ; la maille devient carrée.
46. Epoque Louis XV.

Dessin   Le trait est plus net qu'à l'époque précédente les volutes et motifs sont aérés et disposés avec plus de régularité. La forme des fleurs se précise
Apparition de rinceaux.

Technique   Les points les plus couramment utilisés sont : toilé, corde de 2 fuseaux, tresses de 4 fuseaux, essais timides du réseau d'Anvers. C'est à cette époque qu'apparaît le fond de neige, dont il faudrait attribuer l'invention à Françoise Badar. Il est composé d'un semé de pois séparés par de toutes petites cordes de 2 fils tordus. Naissance de la grille.

1650/1700   Influence du style Louis XIV.

Dessin   Délicatesse du trait.
Les motifs se détachent bien du fond. Guirlandes, feuillage stylisé, mouvement continu, formes répétitives et symétriques, motifs verticaux avec rameaux fleuris horizontaux, mouvements amples.

Technique   Les points utilisés sont : grille, toile, crevés, fond de neige, corde de deux fuseaux, tresses de 4 fuseaux. Début de la maille ronde travaillée avec des cordes de 4 fuseaux.

1700/1750   Influence Louis XV.

Dessin   Feuillage stylisé, guirlandes très souples, mouvement continu. Progression du réseau, opposition du dessin répétitif et symétrique aux mo-

tifs verticaux à rameaux fleuris horizontaux. Très grande délicatesse du trait. Les motifs se détachent de plus en plus sur le fond qui prend de l'importance. Les lignes sont courbes et irrégulières.

Technique   Si les points de base sont les mêmes : grille, toilé, on note d'une part la disparition du fond de neige, d'autre part la création de la maille carrée à 4 fuseaux dont une pointe est dirigée vers la lisière.

1750/1800   Influence Louis XVI.

Dessin   Le réseau tient une place très importante, les motifs sont des semés, des fleurettes, des palmettes. Le graphisme aux lignes droites est mièvre.

Technique   Les motifs sont perdus dans la grande surface du fond à mailles carrées. Les points utilisés sont les cordes de 4 fuseaux pour le fond et des toilés très simples pour les motifs.

Après 1800   Style Empire.

Dessin   Guirlandes très fines — maigres semés disparaissant dans le fond qui prédomine.
Aucune recherche.

Technique   Les qualités du travail de la dentelle de Valenciennes ont disparu.
Fond à mailles carrées.
Mince toilé ordinaire.

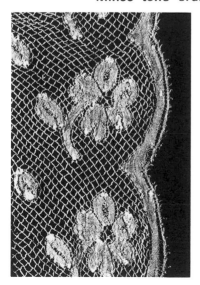 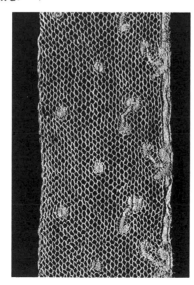

47. Epoque Louis XV, style chargé.
48. Epoque Louis XVI, **composition** grêle.
49. Le Pommier; Maigres **semés.**
50. 51. Le fond prédomine.

63

La dentelle
à l'aiguille

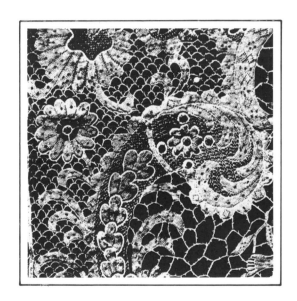

Sedan

Avouerie des abbés de Mouzon (XIIIᵉ siècle), réunie au domaine royal sous Charles V, donnée par Charles X à Guillaume de Braquemont en 1424, Sedan se développe autour de la citadelle élevée par Evrard de La Marck. En 1591, Sedan passa à Henri de La Tour d'Auvergne, vicomte de Turenne et duc de Bouillon.

C'est Richelieu qui confisqua la principauté alors à Frédéric Maurice de Bouillon, compromis dans le complot de Cinq-Mars.

(Cl. Fotirage - Sedan).

C'est vers 1577 que la passementerie s'implante à Sedan du fait de l'arrivée de nombreux réfugiés Calvinistes.

La pratique de la dentelle à l'aiguille se généralise rapidement. Dans la première moitié du XVIIe siècle elle est presque aussi importante que celle d'Alençon. Les villes voisines de Mézières, Charleville, Donchery, confectionnent des dentelles qui sont vendues en France, en Hollande, en Allemagne, en Pologne, en Angleterre. D'après Savary, ces ventes sont très importantes et atteignent quatre millions de livres. Le fil de lin très fin, travaillé à Sedan (1 500 livres par an) par les filetiers est d'une excellente qualité. Il allie la blancheur à la solidité. Ce fil est uniquement utilisé pour la confection de la dentelle champenoise. Les dentelles de Donchery et de Charleville sont plus communes que celles de Château-Renaud et Mézières, villes spécialisées surtout dans les engrelures. Le Point de Sedan acquiert bientôt une grande renommée à telle enseigne que le roi Charles Ier d'Angleterre, amateur de beaux points, possède douze collets du points coupés de Sedan.

Manufacture royale

Le but de Colbert en créant des manufactures est d'éviter la sortie de devises, par l'achat de dentelle de Flandres ou d'Italie, en fournissant sur place un article de qualité supérieure. C'est donc dans des centres renommés, où les femmes pratiquent déjà le métier de dentellière, que son action va se porter. C'est la raison pour laquelle Sedan est incluse dans la liste des villes retenues pour obtenir l'aide de l'Etat dans la création de manufactures.

Le 5 août 1665 une déclaration est faite prescrivant :

« La création dans les villes du Quesnoy, Arras, Reims, Sedan, Château-Thierry, Loudun, Alençon, Aurillac et

53. Epoque Louis XIV.

autres du royaume, des manufactures de toutes sortes d'ouvrages de fil, tant à l'aiguille qu'au coussin en la manière des Poincts qui se font à Venise, Gênes, Raguse et autres pays étrangers, qui seraient appelés « Poinct de France », et que tous les ouvrages de poinct de fil qui se fabriqueront dans ledit royaume, et qui se porteront au-dedans et au-dehors d'iceluy seront exempts de tous droits d'entrée et de sortie et généralement de tous autres, et que lesdits points passeront dans tous les bureaux des fermiers de Sa Majesté sans payer aucune chose. »

A la même date un privilège exclusif pour 9 ans et une gratification de 36.000 livres est accordée à une Compagnie dont les premiers actionnaires s'appellent : Pluymers, Talon et Talon. Les réunions de cette compagnie se tiennent à l'Hôtel de Beaufort à Paris. Elle a pour mission d'établir des manufactures dans les villes citées par Louis XIV. Des sous-directeurs, commis, maîtresses, ouvrières sont envoyés dans les localités désignées. L'intérêt exige que l'on commence par les villes qui sont aptes à recevoir un enseignement et à produire le plus avantageusement. Louis XIV se préoccupe personnellement du bon déroulement de cette action. Il écrit le 8 novembre 1666 à Monsieur de la Bourlie, Gouverneur de Sedan, afin qu'il surveille l'application de ses directives :

« Monsieur le comte de la Bourlie, l'establissement de la manufacture des Points de France est de si grande conséquence pour le bien de mes peuples, et je suis obligé de prendre de si grandes précautions contre la malice des marchands qui avoient accoustumé de faire travailler à Venise et de débiter dans ma cour et dans mon royaume les ouvrages de cette ville-là, que je désire que non seulement vous teniez la main à ce que ladite manufacture s'establisse dans la ville de Sedan et dans les villages circonvoisins, mais mesme que vous empeschiez que les ouvrages de la manufacture de Sedan soient vendus à autres qu'aux entrepreneurs de celle des points de France, afin que tous les marchands estant exclus de toute sorte de commerce dans ladite ville et pays circonvoisins, ils perdent l'espérance de pouvoir contrefaire lesdits ouvrages et soyent obligés de se joindre de bonne foy à ladite manufacture.

« Soyez bien persuadé que vous ne pouvez rien faire qui me soit plus agréable que de faire ponctuellement exécuter ce qui est en cela de mes intentions. »

Mais en définitive il n'est créé à Sedan qu'une succursale de l'Hôtel de Beaufort qui ne compte qu'un employé. Le Lieutenant Général au Présidial La Menardière s'emploie à favoriser un climat d'entente, entre Pluymers et les 104 maîtres et maîtresses du Point de Sedan, à l'aide d'une convention qui les laissent libres d'exercer leur négoce.

En 1669, Colbert ferme la succursale de Sedan et supprime le monopole de la Compagnie de Beaufort.

Le 3 mai 1675 Jean La Bauche est reconnu comme fournisseur de sa Majesté ainsi que l'atteste un certificat signé par le Duc de la Rochefoucault et, durant de très nombreuses décennies, les La Bauche continueront à vendre des dentelles.

Le paiement des droits sur la dentelle étrangère est

maintenu malgré les réclamations formulées par les commerçants de Sedan. En effet, Louis XIV et Colbert portent tous leurs efforts sur la promotion des manufactures royales et imposent lourdement les dentelles des autres pays. De ce fait, les marchands sont contraints de commercialiser la production locale. Tel est le but de l' « Arrêt du Conseil d'Estat du Roy du 26 octobre 1686 » :

« qui ordonne que l'Arrest dudit Conseil du vingt-trois juillet dernier, pour la marque et payement des Droits des Dentelles de Flandres, sera exécuté en la ville de Sedan, selon sa forme et teneur, etc.

Extrait des registres du Conseil d'Etat :

« Sur la Requeste présentée au Roy en son Conseil, par Maistre Jean Fauconnet, Fermier général des Cinq Grosses Fermes, et autres unies, contenant, Que, par Arrest du Conseil du vingt-trois juillet dernier, il a été ordonné que dans huitaine, à compter du jour de la signification dudit Arrest, tous les marchands qui font commerce de Dentelles de Flandres, seront tenus de représenter aux Bureaux du Suppliant et à ses commis, celles qu'ils ont, pour y estre marquées de la Marque qu'il a fait faire en exécution d'autres Arrests dudit conseil du 19 février précédant, et ce sans aucuns frais ny Droits : Lequel Arrest ayant été signifié à la requeste du Suppliant aux Marchands de la ville de Sedan,

54.

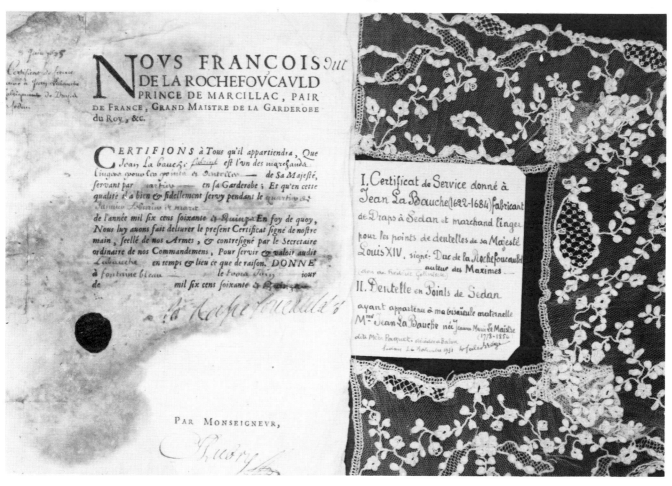

avec Sommation d'y satisfaire. Au lieu de ce, ils se sont avisez pour avoir occasion de continuer avec plus de liberté, les fraudes qu'ils font impunément des Droits dues à Sa Majesté, sur les Dentelles qu'ils font venir de Flandres à droiture, au préjudice des Arrests et Règlements du Conseil, et qu'ils vendent en suite la plus grande part sans Marque, ou qui sont marquées avec de faux cachets, de former Opposition par Acte du 19 septembre, à l'Exécution dudit Arrest du 23 juillet, sous le nom des Habitants et Communauté de ladite Ville de Sedan, sans en expliquer autrement les moyens, sinon que c'est une entreprise au préjudice de leurs Privilèges, et notamment à l'égard des Dentelles, comme si les Marchands de Sedan étaient beaucoup plus privilégiés que ceux des autre svilles du Royaume, et pouvaient vendre des Dentelles de Flandres, sans en payer les Droits et estre marquées; Mais il est certain que non, et que l'opposition desdits Habitants de Sedan est sans fondement, d'autant qu'outre leurs prétendus Privilèges locaux ne sont point si anciens ny si étendus que le sont ceux de la Province de Bretagne et de la ville de Marseille, où la Marque a esté établie sur les Dentelles, en conséquence des Arrests du Conseil des quatorze Avril et vingt-huit août 1685. C'est que cette Marque que le Suppliant veut aussi établir à Sedan, ni préjudicz en aucune matière au reste de ses privilèges, qui ne peuvent point s'étendre sur les Dentelles de Flandres, non plus que sur l'Or et l'Argent, dont la marque est soufferte par les Orfèvres de ladite ville; d'autant plus que lesdits marchands de Dentelles de Sedan comme tous ceux du Royaume, ne peuvent y en faire entrer que par le seul Bureau de Péronne, ny en vendre sans en avoir acquitté les Droits et estre marquées; Sa Majesté ayant sur cela si précisément déclaré son intention par plusieurs Arrests du Conseil, sans en excepter aucune ville, et par conséquent celle de Sedan ne peut point se soustraire à l'obéissance entière et absolue qu'elle doit à Sa Majesté. »

« A ces causes, Requérait le Suppliant qu'il plût à sa Majesté, sans s'arrester à l'Opposition desdits Habitants de Sedan, du dix-neuvième septembre dernier, et à toutes autres Oppositions formées et à former, empêchemens et Opposition quelconques, ordonner que ledit arrest du vingt-troisième juillet, et ceux précédemment rendus sur le même sujet, seront exécutées; Ce faisant, qu'il sera permis au Commis du Suppliant de faire les visites en la manière accoutumées, chez les marchands et autres faisans Commerce de Dentelles de Fil de Flandres, et d'y saisir celles qu'ils trouveront n'estre point marquées des Marques, Timbres et Cachets de la Ferme, et dont on ne représentera point les Acquits du payement des Droits des Commis du Bureau de Péronne ou de celuy de Paris, pour en estre jugé la Confiscation avec l'Amende de Trois mil Livres contre les contrevenans, par les Juges des Fermes. Veu ladite Requeste, etc... le Roy en son conseil a ordonné et ordonne, etc... »

La Révocation de l'Edit de Nantes (1685) amène une importante récession dans de nombreuses industries telles que celles des draps et de la dentelle. « Toutefois la ville surmonte le handicap occasionné par l'exode de nombreux protestants et la fabrication dentellière reprend petit à petit.

Un privilège est octroyé à Quentin Courbel de Mons le 22 novembre 1686 pour une manufacture de fil propre au point à l'aiguille.

Difficultés d'approvisionnement en fil de lin

Le point de Sedan atteint une notoriété telle que la fabrication locale de lin et son traitement ne suffisent plus à approvisionner les fabricants de dentelle et qu'il est nécessaire d'importer du fil de Hollande. Compte tenu des lois qui régissent le commerce avec l'étranger il est nécessaire d'obtenir des dérogations. Tel est l'objet du « placet », écrit le 30 décembre 1705 par Guyard, qui sera étudié par le Bureau du Commerce :

« 30 décembre 1705 — Le Sr Guyard, marchand de Point à Sedan, ayant représenté par un placet qu'il n'est pas possible de continuer le travail des manufactures de point dans les lieux de Sedan, Mézières, Charleville, Donchery et autres faute de fil, tissu et ruban de fil de Hollande, que cela cause un préjudice considérable dans tous ces endroits où le commerce ne consiste qu'à faire ces points et particulièrement au menu peuple qui n'a d'autre moyen pour subsister et que comme le Roi défend l'entrée des marchandises étrangères dans le Royaume sans passeport, il supplie de lui accorder un passeport pour faire venir de Hollande 10 tonneaux de fil, ruban de fil et tissu aux offres qu'il fait de ne donner pour la valeur des marchandises que des Points façon de Sedan et de payer les droits et la manière ordinaire, sur quoi il a été arrêté que les députés donneraient leur avis après avoir examiné la demande dudit Guyard, dans leurs assemblées particulières. »

Un nouveau placet est présenté le 1er mars 1709, toujours dans l'intention d'acheter du fil de Hollande pour confectionner le point de Sedan :

« Du 1er mars 1709 — Lecture a été faite d'un placet par lequel Marie Pailla marchande de Points à Sedan, supplie de lui accorder un passeport pour faire venir de Hollande dix tonneaux de fils, rubans de fil et tissu pour continuer le travail des manufactures de Points dans les lieux de Sedan, Mézières, Charleville, Donchery et autres lieux où on en manque, sur quoi après que les députés ont été entendus, d'un sentiment unanime il a paru que la permission de faire venir le fil à dentelles de Hollande devait être accordée à cette marchande parce que ces fils sont du nombre des marchandises qu'il est permis de tirer de Hollande et qu'on pourrait aussi lui accorder la liberté de faire venir le ruban en fil à tisser sans tirer à conséquence, le tout à condition de faire sortir l'équivalent en marchandises et denrées du royaume dont Monsieur Machault a été prié de rendre compte. »

Le point de Sedan est d'une extrême finesse et d'une grande légèreté. Il est presque transparent. Sa durée de fabrication est importante et de ce fait son coût est très élevé. Les rochets des prélats fortunés, peints par Rigaud et de Largillières, sont ornés d'un point de Sedan qui font l'admiration des personnes qui les voient.

55. L'ouvrière en dentelle.
56. Dentellière; XVIIIᵉ siècle.

FIG. 4. - DENTELLIÈRE. (XVIIIᵉ SIÈCLE.)

Déclin et disparition du point de Sedan

Avant la fin du siècle le point de Sedan qui avait atteint une grande perfection va s'abatardir sous Louis XV. Il n'est plus à la mode sous le règne de Louis XVI. La reine Marie-Antoinette préfère les dentelles légères. La révolution va arrêter pour toujours la fabrication du Point de Sedan.

Les caractéristiques du point de Sedan

Louis XIII : dessin et points similaires aux points à l'aiguille de Venise.

Louis XIV : Le Brun, Bérain et Bonnemer, de Langres vont modifier les dessins d'inspiration vénitienne et permettre à la France d'avoir un style artistique bien défini. La composition est riche, les formes sont souples et ornementales, les fleurs sont larges et bien balancées. Des éléments architecturaux sont intégrés. Les points utilisés, très variés, donnent des tonalités nuancées à l'ensemble du travail. Une grande somptuosité se dégage des pièces confectionnées. Les brides, très peu importantes, ne servent qu'à mettre en évidence les détails de la composition.

Régence : Le dessin est d'une grande somptuosité. Le fond à bride est de plus en plus réduit. L'utilisation des brodes rembourées permet de souligner certains détails qui sont ainsi en relief. Les fleurs sont le plus souvent rehaussées de festons — le fond est à mailles picotée.s Début du genre rocaille. On joue sur les effets de transparence des points qui vont du blanc au gris.

Louis XV : Le genre rocaille s'allourdit. On voit apparaître des coquillages, de lourdes arabesques, des vases, des dômes, des baldaquins, des éléments architecturaux. Disparition de tout relief.

Louis XVI : Il ne se fait presque plus de point. La cour préfère les dentelles plus légères.

57. Point de Sedan; XVIIᵉ siècle.

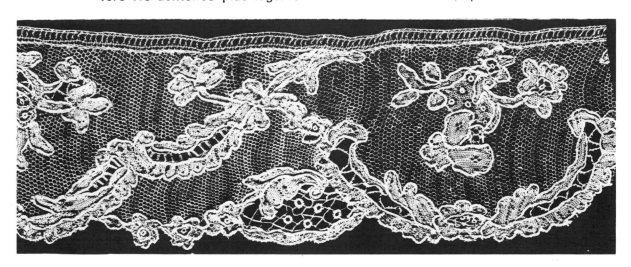

58. Epoque Louis XVI.

La dentelle mécanique

Technique de fabrication

Matière d'œuvre

Les textiles les plus couramment utilisés, sont le coton, le nylon, la soie, les rayonnes (viscose-acétate), la laine. Dans les fils métalliques on peut citer le lurex, le plastilam, etc...

Elaboration et fabrication des dessins et modèles

Dessin :
Le dessin est conçu par un artiste décorateur appelé « esquisseur » qui doit connaître les styles, la mode et avoir l'esprit créateur.

La mise en carte :
Le metteur en carte doit réaliser fidèlement l'esquisse qui lui est fournie. Pour cela, il va diviser en un nombre élevé de petits carrés numérotés le modèle qui lui est proposé. Sur chaque petit carré, agrandi cinq à six fois, sont indiquées les nombreuses passes des gros fils (brodeurs), des fins fils (guimpes) et des fils arachnéens des fonds (chaîne). Le pointeur va transférer cette mise en carte sur des feuillets appelés « barèmes » à l'aide d'un codage de chiffres et de signes. Le **perceur** de carton, à la lecture des barèmes, perce les cartons, les numérote, les relie les uns aux autres et les divise en deux groupes gros fils et fines barres. Le nombre de cartons est souvent très important et peut varier de cinq mille à quinze mille pour des créations de prestige.

Métiers

Les métiers Leavers sont les plus fréquemment utilisés. D'origine anglaise, les mesures, ainsi que certaines opérations de travail, ont conservé la dénomination anglaise

59. L'esquisseur.
60. Le metteur en carte.

surtout à Calais. Certains métiers Leavers pèsent de dix à vingt tonnes et mesurent de dix mètres à quatorze mètres de long sur deux mètres soixante de hauteur.

Il existe également les métiers Sival, Pusher, à Tulle uni, (rolling-Locker et double Locker), à fuseaux mécaniques.

Confection de la dentelle sur métiers Leavers
Trois opérations vont se succéder :
— préparation des fils;
— fabrication de la dentelle;
— finition.

Préparation des fils

Il faut distinguer :
— les fils de chaîne, guimpes et brodeurs qui seront placés sur des rouleaux;
— les fils de trame qui seront placés dans des bobines.

Dans une salle de dévidage et d'ourdissage, les fils de chaînes sont disposés par des ouvriers « wappeurs » ou « ourdisseurs », sur de gros cylindres de bois appelés « moulin » et ensuite enroulés sur des rouleaux métalliques placés derrière le métier.

Les fils de trame subissent une préparation spéciale (laminage, etc.). A leur réception, les fils sont enroulés sur un tambour à l'aide d'une machine à faire les tambours qui en règle la tension. Ces fils sont placés ensuite par des ouvrières, « les bobineuses » à Caudry ou « wheeleuses » à Calais, dans des petites bobines constituées de minces disques de laiton rivetés.

Une fois, les bobines remplies, le « visiteur presseur » les sépare en « étroites », « moyennes » et « larges », les place par catégorie, dans des presses qu'il serre plus ou moins fort. Il dépose ensuite le tout dans un four où, par chaleur (160°) et après resserrement de certaines presses, les bobines « reviennent » toutes à la même épaisseur ; cette opération est renouvelée autant de fois que nécessaire.

Les bobines, refroidies, sont ensuite placées, par le « remonteur », dans des supports appelés « chariots ».

Le « tulliste » pèse alors les chariots, c'est-à-dire les classe selon leur réglage. C'est lui, remarquable technicien qui doit, avant « de racker » (fabriquer), garnir le métier de vingt mille à trente-cinq mille fils.

Fabrication de la dentelle
Pour confectionner la dentelle, le tulliste, doit, d'une part, mettre les chariots entre les lames d'un « comb-barres » qui donnent un mouvement d'avant en arrière et d'arrière en avant au chariot et, d'autre part, placer les fils de rouleaux (chaîne, guimpes et brodeurs) derrière le métier.

Les fils de bobines sont reliés verticalement à un rouleau qui les maintient à une tension constante et enroule la dentelle au fur et à mesure de sa fabrication. Les fils de rouleaux passent dans des œillets, puis dans des plaques et ensuite dans les trous de barres, actionnés longitudinalement grâce à la perforation des cartons jacquard placés sur un

61. Métier Leavers.
62. Moulin à faire les chaînes.
63. Machines à faire les rouleaux.
64. Four à bobines.

cylindre hexagonal. Les pièces de dentelle ainsi réalisées peuvent avoir de onze à vingt-deux mètres de longueur sur une largeur moyenne de quatre mètres quarante.

Finition

Une fois, la dentelle fabriquée, elle est donnée à la « raccommodeuse » telle qu'elle sort des machines, c'est-à-dire à l'**écru.** Si l'appellation est imagée elle explique pourtant bien que la dentelle a été souillée par l'utilisation de la mine de plomb ou graphite nécessaire à la lubrification et au bon fonctionnement du métier.

Les petits accrocs réparés, la pièce de dentelle sera lavée, teinte et apprêtée. Certaines vont au « découpage » pour supprimer les fils flottants, à l'effilage pour tirer les fils qui tiennent ensemble les dentelles de hauteur différente. Les « raccomodeuses à l'apprêt », les « rabouteuses » vont réparer ou joindre, à l'aide d'une aiguille et d'une façon invisible, dégâts ou motifs.

La « visiteuse » vérifiera le parfait état de la dentelle terminée et signalera les derniers défauts s'il y a lieu. Les dentelles seront ensuite livrées, après pliage, aux services commerciaux qui pratiqueront l'étiquetage.

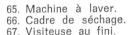

65. Machine à laver.
66. Cadre de séchage.
67. Visiteuse au fini.

80

Calais

15 CALAIS. - Le Boulevard Jacquard et l'Hôtel de Ville. — *CAP.*

Du latin Calesium ou Porto ulterior, Calais est un port très important sous la domination des Comtes de Boulogne. Il fait partie en 1303 de la Ligue Hanséatique. Les Anglais prennent la ville en 1347 et l'occupent jusqu'en 1558, date à laquelle, grâce à François de Guise, elle est annexée au domaine royal. Pendant très peu de temps, 1595-1598, Calais est espagnol. Le traité de Vervins mettra fin à cet état de fait et depuis cette date, Calais est ville française.

La naissance du tulle au XIX° siècle

C'est en 1816 que la fabuleuse histoire de Calais commence, à Saint-Pierre-lès-Calais, pour être plus précis.

Un anglais, Webster, vient étudier en décembre 1816 les possibilités d'implantation d'une usine à fabriquer le tulle. A cette époque Saint-Pierre compte 3.559 habitants parmi lesquels il sera possible de recruter et former des ouvriers. Webster retourne en Angleterre pour surveiller la dangereuse expédition de métiers Warp. Dangereuse, en effet, par l'interdiction faite par le gouvernement anglais d'exporter les machines à fabriquer le tulle dans le but d'en conserver le monopole. Les contrebandiers sont punis sévèrement : bannissement, déportation et mort par la suite. De la même façon, quelques siècles plus tôt, les dentellières vénitiennes avaient été lourdement punies par les Doges pour être venues dévoiler le secret de la dentelle à l'aiguille aux dentellières françaises.

Clark assemble le premier métier importé et se fait aider de Robert West, Siddons et Marcarthur. Ils s'installent dans un magasin situé à l'angle de la rue de Vic et du quai du Commerce. C'est en 1816 que le premier Tulle fabriqué en France (Douai) est porté par la Duchesse d'Angoulême.

Dès 1818 les deux premiers métiers construits en France par West sortent de leur fabrique et en 1820, West s'installe à son propre compte. Syner arrive le premier, sur métier Puscher, à réaliser un point de tulle spécial appelé « Grecian » (grec). La maille est hexagonale. Le nombre d'ouvriers travaillant sur des métiers — « des mécaniques » comme on les appelle alors — est de 210. En 1821 la famille Leavers quittant l'Angleterre vient installer à Grand'Couronne (près de Rouen) des métiers revendiqués par Heathcoat et Lacey.

Il va y avoir une prolifération de brevets apportant des modifications et des améliorations aux métiers à tulle anglais. Mais le premier métier de conception entièrement française a été construit par Dubout aidé de Lieven, Delhaye et Mehaut.

Lors de l'exposition réalisée dans la cour du Louvre les premiers tulles coton sont exposés par 43 fabricants répartis dans le Pas-de-Calais, la Seine Inférieure, le Nord et le Calvados.

En 1823 et 1824 aucune action de promotion ne se concrétise. Par contre, les premières prises de conscience entre ouvriers qui revendiquent, et patrons qui s'unissent se dessinent. Il est toutefois curieux de lire les statistiques de Calais et de Saint-Pierre pour ce qui concerne les manufactures :

— Calais : 20 fabricants, 10 métiers, 69 ouvriers au salaire de 10 à 15 F par jour, 346 ouvrières au salaire de 1 F, 25 par jour. Quantité : 37.600 aunes; valeur : 785.000 F.

— Saint-Pierre : 20 fabricants, 45 métiers, 68 ouvriers gagnant 3.600 F par an et 552 ouvrières au salaire annuel de 315 F !
Quantité : 40.000 aunes, valeur : 850.000 F.

A la suite de tracasseries occasionnées par les

Calaisiens contre les métiers à dentelles, les fabricants vont s'installer massivement à Saint-Pierre. En 1825, précise un rapport écrit à Calais, « les mécaniques (métiers) construites dans la commune sont maintenant entièrement finies par les ouvriers qui les ont commencées, et, leur construction étant ordinairement très soignée, elles ne laissent rien à désirer, alors qu'il en est souvent autrement lorsqu'elles arrivent toute faites d'Angleterre. Un conseil de prud'hommes s'établit le 19 janvier 1825 à Calais par ordonnance royale. Ce conseil règlera les différends entre fabricants, ainsi qu'entre patrons et ouvriers.

La production de tulle commence à être appréciée en partie grâce au nouveau tarif de douane abaissant les droits d'entrée vers l'Angleterre de 75 à 30 % ad valorem; elle va se développer d'une façon parfois anarchique ce qui va même compromettre son avenir. Malgré les métiers mécaniques, les fabricants conservent l'utilisation de la main pour sertir certains motifs. Fergusson va perfectionner le métier circulaire et inventer le réseau carré (square net) et le fond de Paris (wire ground).

Le principal handicap que vont rencontrer au long des années les fabricants français sera l'importation, en contrebande, du tulle anglais qui innondera parfois le marché et avec laquelle ils ne pourront entrer en concurrence. D'autre part, ils sont souvent amenés eux-mêmes à faire appel aux contrebandiers pour se procurer des fils très fins. Ces contrebandiers sont pour la plupart d'anciens corsaires du Capitaine Tom Souville ; sur leurs légers bateaux, appelés « smugglers », au nombre de 600, ils font la navette jour et nuit entre les deux pays. Ils débarquent la marchandise à une quinzaine de kilomètres de Calais aidés par les habitants du littoral dont c'est une source de profit. La fraude leur rapporte 20 % ad valorem. Cette fraude durera sept ans. Cependant, la progression constante de la demande en tulle est stupéfiante puisqu'on enregistre en 1828 : 300 machines à tulle occupant 5.000 ouvriers et ouvrières.

Après la tulle... la dentelle...

La révolution de 1830 ne freine d'aucune façon le développement de cette nouvelle industrie. L'esprit de recherche est extraordinairement développé; les brevets se succèdent et chaque jour amène de nouvelles découvertes : tulle uni supérieur, tulle fantaisie, petites blondes avec motif, point d'esprit...

Ferguson va encore perfectionner son métier circulaire en adjoignant le jacquart. Il arrive de ce fait à une imitation presque parfaite de la dentelle Chantilly noire. Du fait des perfectionnements accomplis, d'un meilleur approvisionnement en cotons filés étrangers à numéros élevés, des nouvelles utilisations du tulle, les prix vont diminuer. Il se vend en 1834 pour 24 millions de tulle en France dont 2 millions à l'étranger. Toutefois, la concurrence commence à s'organiser. Sur les 6.850 métiers fonctionnant à la vapeur ou à la main et fabriquant 30 millions de mètres carrés de tulle pour une valeur de 62 millions de francs, on dénombre :

— 5.000 métiers en Angleterre;
— 1.585 métiers en France;
—   50 métiers en Suisse;
—   70 métiers en Saxe;
—   60 métiers en Autriche;
—   35 métiers en Belgique;
—   20 métiers en Prusse et Russie;
—   30 métiers en divers pays.

C'est en 1840, que la première machine à vapeur pour actionner les métiers à tulle est installée chez Pearson et Webster à Saint-Pierre. Pearson invente l'année suivante un nouveau procédé permettant de réaliser le tulle bobbin avec broderie imitant le point et la dentelle Valenciennes. Il est à noter que la généralisation de l'application du Jacquart sur les métiers à tulle offre des possibilités nouvelles et permet une variété de dessins infinis. En 1848 les Maisons Dognin et Jourdan commencent à fabriquer une imitation de la dentelle de laine du Puy. A ce moment on dénombre 900 métiers répartis dans la région ainsi que 10 à 12.000 ouvriers sans compter les ouvriers travaillant dans les industries connexes : blanchiment, apprêt, broderie, pliage. Le nombre d'habitants de Saint-Pierre-lès-Calais qui était de 3.559 en 1816 est, en 1851, de plus de 11.000.

A partir de cette époque des essais vont être faits pour utiliser l'électricité pour le fonctionnement des métiers jacquard. Une prime de 50.000 F est même offerte par l'Empereur Napoléon III à celui qui en découvrira le moyen. Pour l'instant ce n'est que petit à petit que la vapeur remplace le travail à bras, très fatigant, effectué par les ouvriers dits « tourneurs ».

Le lundi 26 décembre 1853, l'Empereur et l'Impératrice visitent Calais. La gare est décorée de tulle, la chambre de l'Impératrice à l'Hôtel Dessin disparaît sous des flots de magnifiques guipures. Enchantée, elle demande des échantillons et fait garnir de dentelles un appartement du château de Compiègne.

Un traité de commerce est signé en 1860 avec l'Angleterre portant sur la diminution des droits d'entrée du coton n° 1402, la levée de la prohibition sur les numéros inférieurs, l'entrée en franchise de nos produits sur le marché anglais, mesures dont on espère beaucoup de bien.

Saint-Pierre s'agrandit, on construit beaucoup : de la moderne maison de l'ouvrier à l'hôtel particulier, en passant par les usines. La population est en 1861 de 15.000 habitants, dont 6.342 ouvriers. Le dépôt de brevets, les procès en contre-façon, l'installation de nouvelles usines d'apprêt, de teinturerie sont quotidiens et prouvent la vigueur du phénomène « dentelle ».

La fabrication calaisienne se distingue lors de l'Exposition internationale de Londres en 1862 et remporte des médailles et des prix surtout pour sa production de dentelle de soie. Le même succès est enregistré lors de l'Exposition universelle de Paris en 1867 qui attire un monde considérable et se déroule dans un faste incroyable. Chaque exposition draîne des commandes importantes et permet l'embauche de nombreux ouvriers. De grandes affiches sont mêmes apposées dans Calais par un plaisantin sur lesquelles on peut lire « on demande des découpeurs, des plieuses et des raccomodeuses chez tous les fabricants de Saint-Pierre ». Pourtant, un ouvrier travaille de 52 à 54 heures par semaine.

Les exportations se font en quantité considérable vers l'Angleterre et l'Allemagne. Les dessins sont maintenant protégés et les fabricants profitent de leurs découvertes mutuelles grâce à la création d'un Conservatoire des dessins de fabrique et des arts textiles appliqués à l'industrie tullière. La qualité et le bon goût français ont une supériorité incontestable sur tous les marchés, les articles de haute-nouveauté sont toujours très demandés.

L'année 1870 n'enregistre aucune diminution dans la « fabrique ». Le nombre de métiers Leavers recensé à Calais est de 745, dont les deux tiers sont actionnés par la vapeur. La valeur du matériel et des immeubles est de 13 millions et la production de 15 millions. Un ouvrier gagne de 8 à 10 F tandis qu'une ouvrière touche un salaire de 2,50 F à 4 F et un enfant 1 F à 1,50 F par jour. La population de Saint-Pierre qui était de 3.559 habitants en 1820 passe à 20.000 en 1871; malgré cela la fabrique manque d'ouvriers tullistes.

69. Métier à dentelle de **John Hitchin.** actionné à la main (Musée de Nottingham) 1860.

En dehors du handicap de la mode qui détermine, dans cette profession, les périodes fastes et néfastes et, de ce fait, une croissance par à-coup, il est à remarquer la concurrence acharnée que se font les fabricants entre eux. Un dentellier n'a pas si tôt inventé un beau dessin, qui se vend bien, pour qu'immédiatement il ne soit copié avec une qualité moindre pour être plus concurrentiel. Puis ce dernier va subir le même sort. A la fin le dessin original sera tellement abatardi qu'il ne sera plus utilisable. Parfois des procès en contre-façon sont intentés et de lourdes condamnations en dommages et intérêts sont infligées.

De 1875 à 1880 de très nombreuses faillites vont être prononcées. Les dentelles ne sont plus demandées et des stocks très importants sont disponibles aussi bien à Nottingham que dans la ville de Saint-Pierre. On signale le cas d'un fabricant dont la situation financière était mauvaise. Il avait incendié volontairement son atelier. La condamnation a été dure : 7 ans de travaux forcés.

Les imitations de dentelles main genres Malines, Valenciennes, Alençon, Venise, Russe, etc. sont de plus en plus parfaites et requièrent l'observation d'un spécialiste pour distinguer le travail fait machine.

La maison Henon dépose de nombreux brevets apportant des améliorations dans les métiers mais aussi dans leur utilisation afin de rendre le travail des ouvriers moins pénibles. Après la loi réglementant le travail des enfants un nouveau projet est présenté concernant le travail des adultes. Il est vivement combattu par le patronnat car il porte atteinte à la liberté de l'ouvrier majeur qui doit pouvoir disposer de sa personne, à sa volonté, puisqu'il a pleine conscience de ce qu'il doit et peut faire, pour le mieux de ses intérêts. C'est une protection qui serait beaucoup plus préjudiciable qu'utile à l'ouvrier.

L'industrie dentellière après 1880 va participer à l'essor industriel et connaître une période exceptionnelle qui durera six ans. La révolution industrielle va permettre l'élévation du niveau de vie de nouvelles couches sociales qui seront attirées par la dentelle, signe traditionnel de richesse. L'article le plus demandé, le spanish, confectionné en soie, est d'un prix très élevé et va doubler, voire tripler le chiffre d'affaires de Calais.

Les ouvriers qui travaillaient à Saint-Pierre venaient parfois de fort loin. On cite ceux de Guines, qui n'hésitaient pas à faire à pied, matin et soir, les onze kilomètres qui les séparaient de l'atelier. Le chemin de fer d'Anvin mis en circulation en 1881 est utilisé à prix réduit par les ouvriers. Cette même année voit la création d'un cours de dessin et de mise en carte malgré l'opposition des professionnels qui désirent en conserver le monopole.

Les affaires sont excellentes et l'exportation vers l'Amérique, l'Italie, el'Allemagne se tient à un très haut niveau. La Chambre syndicale des fabricants est créée en 1883 avec pour devise « protéger les intérêts de chacun sans léser les intérêts d'aucun ». Un an après, c'est le syndicat des ouvriers tullistes qui est fondé à Saint-Pierre sous le nom de l'Alliance générale des ouvriers tullistes ». Comble du progrès, la première ligne téléphonique est installée à

Saint-Pierre et à Calais. En 1885 les villes de Calais et de Saint-Pierre sont réunies et seront connues sous le seul nom de Calais. En 1886 les premiers ateliers sont éclairés à l'électricité. Depuis 1881 une grande prospérité règne, les commandes sont élevées, les fabricants font de très importants bénéfices et modernisent leur matériel, les ouvriers ont des salaires qui suscitent la jalousie de la part des autres corporations.

Mais la situation va se modifier brutalement : en 1886 la banque Sagot doit suspendre ses paiements ainsi que la Caisse d'Escompte. Puis, c'est le tour de la Banque Bellard, qui ferme ses guichets avec un passif de 10 millions, et de la banque Deltour et Cie. Le manque de compréhension de la Banque de France est responsable de ce krack financier qui va entraîner un nombre important de faillites. La situation des ouvriers est dramatique. Les chambres syndicales, patronnales et ouvrières se réunissent en permanence en vue d'apporter des aides immédiates aux chômeurs. Une grande tombola est organisée ainsi que des fêtes, des concerts, des soirées pour alimenter la caisse de secours. Le Conseil municipal vote un crédit de 25.000 F et la Chambre syndicale des fabricants ouvre une souscription qui rapporte 25.258 F. Elle distribue également dix mille dons de charbon et 400.000 bons de fourneaux.

En 1889 le conseil municipal de Calais prend une délibération très intéressante pour ce qui concerne la vie des ouvriers. « Considérant que, dans une cité ouvrière comme Calais, il incombe au Conseil de ville de veiller au sort des travailleurs et de les aider dans leurs luttes incessantes pour l'existence et le bien-être et dans leurs efforts d'émancipation, délibère :

« Une nouvelle commission de cinq membres est instituée. Elle aura pour mission l'étude et la solution de toutes les questions pratiques concernant spécialement les intérêts de la classe ouvrière; par exemple : la défense et l'organisation des travailleurs, les crises, le chômage, l'arbitraire, la protection de l'ouvrier âgé, mineur, infirme, de l'ouvrière, etc... »

La Compagnie Singer fait aux fabricants des offres de machines à coudre les cartons jacquard.

Les affaires reprennent progressivement et certaines usines travaillent même jour et nuit. Le Président Sadi Carnot visitera deux usines dentellières : les maisons Henon et Davenière. Par la suite, Madame Carnot portera fréquemment des robes en dentelle.

L'Exposition universelle de 1889 remporte un grand succès et les dentelles de Calais se signalent tout spécialement par deux grands prix, 9 médailles d'or, 8 médailles d'argent et 8 médailles de bronze.

En 1890 est discuté le renouvellement des traités de commerce, Calais, Caudry et Lyon vont mettre en commun leurs propositions. Il est demandé en particulier l'abolition totale des droits sur les filés de coton, l'adaptation conforme aux progrès des traités de commerce, la clarification des tarifs douaniers. C'est à cette époque que la première ligne téléphonique reliant Calais à Paris est installée.

En 1892 une loi, réduisant à dix heures au lieu de

12 heures par jours le travail des femmes et des enfants, est adoptée par les députés et les sénateurs. L'Association syndicale des Fabricants proteste et il semblerait qu'une transaction intervienne pour fixer à onze heures la durée journalière de travail. Cette même année on dénombre 1.829 métiers à Calais et Caudry qui consomment 90.000 kg de soie grège, 90.000 kg de soie ouvrée, 600.000 kg de schappe ou de bourre de soie. Le chiffre d'affaires moyen pour Calais sera de 70 millions.

De 1892 à 1895 des grèves, lock-out, manifestations, vont se succéder pour finalement aboutir à la rencontre d'un groupe patronal de défense et de l'Union ouvrière. Un accord est signé qui mettra fin à une situation préjudiciable à la fabrique. Le 9 avril 1898 est votée la loi sur la responsabilité des accidents de travail qui sera légèrement modifiée après intervention des Unions patronales de France.

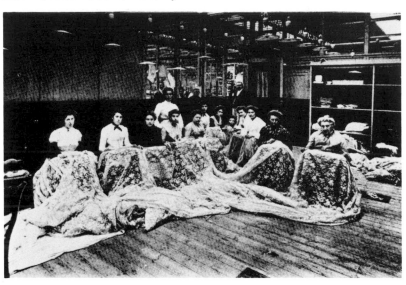

70. Racommodage des pièces écrues.

Très curieusement la maison Caron de Calais a su copier à la perfection les vraies Lille-Brabant à la main dont les Hollandaises ornaient leurs costumes et leurs coiffes. Cette dentelle blanche à bord droit, que l'on retrouve sur les tableaux peints par Rembrandt ou Van der Helst, est très chargée. Suivant les différentes formes de coiffures de la Frise, du Drenthe, du Beijerland, de Zaandam, etc... il faut 5, 7, 9 ou 11 fleurs dans une aune de Brabant. Il est juste de dire que maintenant la plupart des dentelles ornant les coiffes hollandaises sont mécaniques et viennent de Calais.

Les exportations de tulle et de dentelle de soie sont en progression constante :

1896 : 34.155.000 F.
1897 : 40.434.790 F.
1898 : 41.372.000 F.

1900 est l'année de l'Exposition universelle à Paris. Calais qui avait participé aux expositions internationales d'Amsterdam, Moscou, Chicago, San Francisco, Bruxelles, etc. et rapporté de nombreux grands prix, médailles d'or et d'argent, se devait d'être présente à celle de Paris. Deux cents fabricants s'inscrivent pour y participer.

90

Le métier inventé en 1586 par Lee, modifié en 1809 par Heathcoat, puis en 1814 par Leavers, a bénéficié de multiples transformations depuis son arrivée en France en 1816. En effet, le livre fort documenté de Monsieur Henon ne compte pas moins de 176 brevets minimum qui apportent des modifications permettant une amélioration non seulement dans la qualité de travail mais aussi dans le dessin grâce à l'invention de Jacquart. Par contre, après 1900 très peu de changements seront effectués dans les métiers qui seront pratiquement les mêmes en 1979.

En 1910 on dénombre 569 fabricants utilisant 2.615 métiers et faisant travailler 8.000 ouvriers, 21.000 ouvrières et 2.500 enfants. La production est de 115 millions dont 100 millions à l'exportation. Monsieur Biais, rapporteur à l'exposition de Bruxelles de 1910, apprécie la fabrication calaisienne en ces termes :

« Ce qui a fait et fera le succès de Calais, c'est l'intelligence commerciale de ses industriels. Ils ont compris dans ce siècle où tout se camelotte, que leurs produits ne lutteraient avec succès contre ceux de leurs voisins de l'étranger que par la supériorité dans la fabrication et la création. »

La guerre de 1914-1918 arrête totalement les transactions. Calais, souvent bombardée ne subit pourtant pas de très gros dégâts et les métiers se remettent vite au travail. Depuis longtemps déjà la beauté de nos dentelles avaient surpassé la qualité de Nottingham. Vers 1920, à l'initiative de quelques fabricants et artistes, plus sensibles à l'art nouveau, vont être utilisées des matières spéciales : soie artificielle plus brillante, appelée Radium, laminette et fils d'or et d'argent, chenille, laine, crin, cellophane. Le graphisme est hardi, et l'enjeu énorme. En effet, certaines dentelles ont un prix de revient, lorsqu'elles comportent une série de 10 à 15 dessins assortis mais de formes et dimensions différentes, oscillant entre 20.000 et 80.000 francs. Mais le succès est immédiat. Les ouvrières sont très nombreuses à travailler à domicile. Elles reçoivent des dentelles à découper ou à effiler. Très souvent, tous les membres de la famille se réunissent le soir et travaillent ensemble aux finitions.

En 1931, 400 fabricants possèdent 2.700 métiers et occupent 32.000 personnes en usine et 12.000 au dehors. A ces chiffres s'ajoutent de 12.000 à 14.000 personnes occupées dans des professions dépendant directement de la dentelle, soit, au total plus de la moitié de la population calaisienne. Après 1931, la dentelle subit une longue période de crise d'autant plus que sa production est exportée à 90 %. Nos marchés extérieurs disparaissent les uns après les autres : Révolution russe, banqueroute allemande, dévaluation du dollar, baisse de la Livre et accord d'Ottawa à l'intérieur du Commonwealth qui pénalise les produits non anglais à destination du Canada, de l'Australie, de l'Inde. Guerre économique et représailles. On dénombre 4.000 chômeurs à Calais.

Le chiffre d'affaires qui était en 1914 de 100 millions de francs or est en 1936 de 15 millions de francs papier. Il n'y a plus que 200 métiers qui fonctionnent. Les autres sont vendus à la ferraille ou à l'étranger, mille seront détruits. Des ouvriers vont même occuper les ateliers, approuvés en cela par les patrons, pour empêcher le départ des métiers hors de nos frontières. Le 18 septembre 1936 le gouvernement français va interdire l'exportation des métiers à tulle, dentelle et guipure afin de ne pas créer une nouvelle concurrence. Calais commence à s'organiser et crée un groupement de défense qui demande au gouvernement de rendre les ententes professionnelles obligatoires dans l'industrie de la dentelle. Une grande agitation sociale règne en France, aussi en mai 1936, Marcel Vermeulen, Président de la Chambre syndicale des fabricants calaisiens, informe le maire de l'intention de ses collègues de fermer le 21 mai les derniers ateliers encore ouverts. En effet, la signature des accords franco-américains n'est pas favorable à la production locale et ne permet pas d'envisager une poursuite de la production.

Le gouvernement va prendre quelques mesures incitatrices mais notre franc, trop cher, ne permet pas de nous placer à l'exportation. En effet, à Nottingham les charges sociales pour une semaine et par ouvrier est de 13,35 F alors qu'en France elles sont de 53 F. D'autre part, les accords de Matignon : congés payés, relèvement des salaires, majoration du prix des matières premières importées, semaine de 40 heures à brève échéance, finissent de jeter le trouble et le désespoir chez les fabricants. De nombreuses faillites sont enregistrées. De très anciennes fabriques disparaissent. Toutefois, en 1938, une reprise se dessine et 600 métiers de plus tournent pour les 200 fabricants qui restent. La dévaluation du franc permet de retrouver comme clients, les U.S.A. ainsi que la Hollande, l'Australie et la Tchécoslovaquie. Le chiffre d'affaires à l'exportation est de 210 millions.

A cette époque la population calaisienne est de 70.000 habitants, 3.200 ouvriers en Leavers travaillent pour 120 fabricants. La guerre de 1939-1945 va être terrible pour Calais qui va être endommagée à 75 % par les bombardements. 20.000 Caudrésiens doivent quitter la ville, des usines sont anéanties et 350 métiers Leavers sont détruits. Les dommages de guerre ne permettront d'en remplacer que 20.

Mais la dentelle de Calais n'est pas morte et en 1948, les commandes qui nous viennent des Etats-Unis sont considérables, aussi les délais de livraison sont de 6 ou 8 mois. Nous n'avons plus que 1.400 métiers; deux ans plus tard les exportations s'élèvent à 5 milliards 110 millions dont 3 milliards 356 millions pour l'exportation et en 1953 ce sera un milliard 494 millions pour le premier trimestre.

La ville de Calais recense 75.000 habitants en 1960, 6.300 ouvriers travaillent pour 90 fabricants. La situation restera bonne pendant quelques années puis se dégradera. Vers 1968, la mode hippie, le port des pantalons et des mini-jupes, la suppression des dessous féminins, ne permettront de réaliser qu'un chiffre d'affaire de 95 millions. De nombreux ouvriers sont au chômage et des usines ferment. Le nylon entre maintenant pour 80 % dans la composition des dentelles, 20 % étant à base de laine. La situation se dégrade de plus en plus. En 1974, ce n'est plus que 65 millions de francs de vente que réalise Calais. Et pourtant, quatre ans plus tard, c'est la reprise : les 55 fabricants, regroupés, font travailler 2.500 ouvriers dont 300 femmes à domicile. Les conventions collectives nationales de l'industrie textile sont

71. Dentelle mécanique, XXᵉ siècle.

92

appliquées ainsi que la mensualisation. La main-d'œuvre est française. Depuis le mois de septembre 1978, 250 personnes ont été embauchées et pratiquent les deux fois huit heures. En dehors de certaines périodes de tension, patrons et ouvriers, qui pour la plupart, sont dans le métier depuis des générations, cohabitent en entretenant d'excellentes relations.

Le matériel n'a pas été modifié depuis 80 ans. Nottingham n'est d'aucune façon un concurrent redoutable puisque sa fabrication est d'une qualité très inférieure à celle de Calais. La fabrication dentellière qui est à 85 % destinée à la lingerie a pour principaux clients étrangers le Japon, l'Italie et l'Allemagne. Pour que la production soit de 100 millions en 1978, il a fallu utiliser 680 tonnes de matières premières.

En comparant le chiffre d'affaire de novembre-décembre 1977 et janvier 1978, soit 24.749.151 à celui de l'année suivante, à la même période, on constate une augmentation de 16 %.

Les relations des fabricants calaisiens ne sont plus perturbées, comme par le passé, par des procès en contrefaçon. Une protection très suivie est réalisée par la Chambre patronale. De nombreux correspondants à l'étranger surveillent la sortie des nouveaux modèles et dénoncent aussitôt les copies. La situation est bonne mais, pour qu'elle puisse durer et permettre l'embauche de nombreux ouvriers, les fabricants de dentelle pensent qu'un allègement des charges sociales devrait être examiné en raison du pourcentage important (70 %), qu'elles représentent dans le coût du produit fini.

Au cours d'exposition, de salons, comme ceux de Dusseldorf ou de la Maille à Paris, les stylistes, modélistes, journalistes ont refait connaissance avec la dentelle. Les femmes ont toujours conservé une « faiblesse » pour elle. Aux fabricants de proposer le rêve, la fantaisie, la beauté.

72. Calais. XXᵉ siècle.

Enseignement

En 1878 les fabricants dentelliers vont créer un cours de dessinateurs qui sera repris par l'Etat en 1885. En 1901, l'abbé Piedfort fonde une école d'apprentissage qui obtient d'excellents résultats. En 1927 la ville de Calais l'agrée sous le nom d'Institut Jacquart.

En 1939, une centaine de fils d'ouvriers ou de fabricants, entrés à l'âge de 14 ou 15 ans, vont pendant trois ans suivre des cours de technologie, électricité, mécanique, dessin et pratique sur métier. Le Chanoine Sence va de 1916 à 1970, assurer la direction de l'institut Jacquard avec compétence et dévouement. Des générations de spécialistes sortiront de l'Institut prêts à travailler pour la renommée de la dentelle de Calais.

En 1978, le C.E.T. Blériot possède une section de 80 élèves qui préparent en 3 ans au C.A.P. d'ouvriers tullistes.

Musée

Le musée de Calais expose du matériel et des dentelles mécaniques. Quelques vitrines sont affectées à la dentelle à la main.

La visite est très intéressante et a été organisée avec beaucoup de goût par Mademoiselle Dorgère. Conservateur adjoint.

Caudry

Caudry serait d'origine Gallo-Romaine et s'est appelée au cours des siècles Kaldry, Caldris, Calderiacum, Caudris, Cauderi et enfin Caudry en 1345.

Les batistes

La tradition textile est depuis très longtemps implantée dans le Cambresis. La réputation de ses tisserands s'appuie sur leurs connaissances de la culture et du rouissage du lin dans la vallée de l'Escaut. Vers 1300 un certain Baptiste Cambrai aurait découvert la fabrication d'un tissu appelé « Batiste » aussitôt confectionné dans de grandes manufactures sous le nom de clairs Batiste, toiles de Cambrai, cambresines ou toilettes. Ces toiles sont vendues par les « mulquiniers » dans toute l'Europe et même en Orient grâce aux bateaux de la Compagnie des Indes. Au XVe siècle la commercialisation va se faire également vers l'Amérique. Au cours des années qui suivent, la profession est réglementée et des ordonnances sont prises en 1407 concernant le « stil des teliers linges » : largeur des rots, dimension des toiles, marques de fabrique, duitage, vérification, etc.

Le magistrat va continuer à réglementer, par des lois sévères et détaillées, la fabrication des toilettes, même après l'annexion de la région à la France, en 1678. Petit à petit, le nombre des fabricants va croître, mais si nombreux qu'ils puissent être, ils ne suffiront pas à répondre à une demande croissante de batiste.

Quoique freinée en 1726 par un bill du gouvernement anglais interdisant l'entrée de batiste et de linon en Angleterre, la fabrication de toilettes emploie, à la fin du XVIIIe siècle, cent cinquante mille personnes et compte quatorze mille métiers. En 1789, dans l'arrondissement de Cambrai, 205.128 pièces sont fabriquées.

Après la révolution le nombre de pièces tombe à 129.361 et le blocus continental de 1806 va aggraver la situation. L'Angleterre va profiter de ces circonstances pour exporter ses mousselines dans toute l'Europe et, après la chute de Napoléon, des produits à bas prix vont envahir le marché français.

De ce fait, la Batiste et les mulquiniers sont appelés à disparaître dans un avenir très proche.

Métiers à tulle et évolution des conditions de vie de la population

Découverte en Angleterre du métier à tulle :

Le métier à tulle a pour lointain ancêtre le métier à bas, inventé vers 1590 par le Pasteur de Calverton (Nottinghamshire) : William Lee qui était allé proposer son invention à Henri IV.

Le métier est respecté dans sa forme première jusqu'en 1760, date à laquelle les Anglais commencent à y apporter des modifications, afin de fabriquer du tulle :
— en 1767 Crane, de Nottingham, met au point le métier Warp par adjonction de la chaîne au métier à bas.

Ce métier produit une sorte de tulle-tricot, très peu solide. Différents systèmes sont alors mis au point, mais les résultats, certes encourageants, restent médiocres. Il faut attendre 1808-1809 pour que le « Bobin Net », de Heathcoat et Lacey, réalise le tulle grâce à un système de bobines et de chariots.

Les métiers à tulle à Caudry :

Dès le XVIIIe siècle, les Anglais commencent donc leur révolution industrielle et remplacent le travail manuel par la machine. L'invention par Heathcoat, du métier mécanique pour fabriquer du tulle permet à l'Angleterre d'inonder le marché d'un article transparent, à bas prix, et rapidement très à la mode. Afin de se protéger de toutes concurrences les Anglais promulguent une loi interdisant l'exportation de machines à fabriquer le tulle sous peine de bannissement, puis, en 1817, de mort. L'industrie des mulquiniers se trouve maintenant en pleine décadence et Caudry a un besoin vital, pour son avenir, de s'adapter à d'autres marchés.

Carpriau fait venir d'Anvers le premier métier à tulle qui servira de modèles pour en fabriquer d'autres. D'après Failly, Inspecteur des douanes à Cambrai, en 1826, on dénombre deux cent vingt métiers à tulle dans le Cambrésis. Placide Gabet installe deux petits métiers dans le château de l'ancien seigneur de Caudry. L'arrivée des métiers est accueillie avec soulagement par une population qui vit depuis des années dans une gêne proche de la misère. En 1833 il est noté dans l'annuaire statistique du département du Nord que Caudry possède sept fabriques de tulle et une usine de construction de métiers à tulle.

La main-d'œuvre s'adapte très vite à ce nouveau travail et la demande de tulle est si forte qu'elle permet d'embaucher un nombre croissant d'ouvriers. Pour s'en persuader, il suffit de suivre la progression démographique entre 1804 et 1840. En effet, le nombre d'habitants passe de 1.926 à 3.193.

Les habitations du début du XIXe siècle sont encore très frustres : murs en terre, portes et fenêtres étroites. Les conditions de travail sont pénibles. La tradition veut que les fils soient entrecroisés à l'abri du jour et dans une ambiance humide. De ce fait, fileuses et tisserands œuvrent dans des caves plus de dix heures par jour. La boisson est souvent pour eux plus importante que la nourriture qui se compose habituellement d'une grosse soupe aux légumes, lait de beurre et parfois viande salée. Les jeux tiennent une place très importante dans la vie sociale de la cité : quilles, billons, balle, tir à l'arc. L'habillement devient un peu plus élégant, le bleu est la couleur de prédilection des hommes ; les femmes portent un mantelet d'indienne multicolore.

L'enseignement est peu répandu encore, bien qu'une école soit implantée dans chaque commune. Dans le rapport Wilbert, tel que le reprend Monsieur Bajart, il est précisé que 1/10e de la population ouvrière sait lire dans le canton de Marcoing, un quart dans celui du Cateau. Les parents n'envoient pas leurs enfants en classe, préférant les garder pour faire des bobines et des trames.

En 1838, Théophile Tofflin qui avait travaillé comme tulliste à Calais vient s'installer avec des métiers à Caudry et commence à fabriquer du tulle fantaisie. Un effort très important doit être réalisé par cette jeune industrie face à l'effondrement des prix, déjà très bas, du tulle de Nottingham passé souvent en contrebande. Les mécaniciens, la plupart du temps de nationalité anglaise, prennent des brevets apportant des améliorations aux métiers installés en France. C'est eux qui réparent les machines et gagnent pour cela de 4 à 6 francs par jours. Très jaloux de leurs secrets, ce n'est que petit à petit que la main-d'œuvre locale s'initiera à la mécanique. C'est parfois par la ruse que certains secrets seront découverts. Témoin une anecdote confiée par de vieux ouvriers et que rapporte Ringeval :

« Au début, les premiers ouvriers anglais spéculaient quelque peu, sur la fourniture du matériel. Ils demandaient 5 francs pour fournir un simple crochet ! Un jour, deux ouvriers de Caudry s'entendirent pour découvrir le secret de la fabrication du crochet; l'un d'eux perfora le plafond de la salle qui servait d'atelier; plus tard, l'autre ouvrier qui se trouvait dans cette même salle cassa exprès son crochet. Il demanda à ce qu'il soit réparé tout de suite. Suivant l'habitude, l'ouvrier anglais le fit sortir, mais l'autre Caudrésien vit travailler l'ouvrier anglais par ledit trou, et le tour fut joué. »

C'est en 1852 que la première machine à vapeur arrive à Caudry. Elle est destinée à faire tourner les métiers à tulle. La région de Caudry dans laquelle sont inclus Inchy, Beauvois, Fontaine, compte 188 fabricants et 478 métiers. Il est à constater que le nombre de métiers par fabricant est très peu élevé. La raison en est donnée par Claude Fohlen : « le travail y est essentiellement artisanal. La plupart des fabricants sont d'anciens ouvriers qui, à force d'économies, de privations et de travail sont arrivés à acquérir un matériel de 10.000 à 15.000 francs constituant toute la fortune de la famille ».

Le traité de libre-échange conclu par Napoléon III avec l'Angleterre pour améliorer les relations avec ce pays et signé le 23 janvier 1860, allait se révéler catastrophique pour notre jeune industrie du tulle qui n'est pas encore compétitive. En effet, les nouveaux métiers anglais mesurent 200 pouces de large, sont mus par la vapeur et produisent 6 à 7 racks (le rack est égal à 0,50 m environ). Les métiers français, mus à la main, ont une largeur moyenne de 100 pouces et ne produisent que 3 racks à l'heure. Le prix de 1,50 m de tulle français est donc le même que pour 6 mètres anglais. Pourtant la France va exporter de 1861 à 1867 70.827 kg de tulle alors que de 1854 à 1860, elle n'en avait exporté que 28.888 kg. Toutefois, il faut préciser que la dentelle de soie entre pour une large part dans ce bon résultat.

Mais si la situation est bonne dans la région de Calais et de Lyon, il n'en est pas de même à Caudry qui se sert d'un matériel ancien acheté d'occasion à Calais. Devant le chômage important qui sévit à Caudry, des ouvriers décident d'écrire à l'empereur Napoléon III :

« Lettre des ouvriers caudrésiens à S.M. Napoléon III :
A Sa Majesté Napoléon III
Sire,
Les malheureux ouvriers tullistes de Caudry ont l'honneur d'exposer respectueusement à Votre Majesté, la déplorable situation dans laquelle ils languissent depuis 1860.

74. Dentelle mécanique. Caudry, XXe siècle.

Leur profonde misère se trouvant intimement liée au traité de commerce conclu avec l'Angleterre, ils en demandent instamment la suppression.

Durant les dernières années, Sire, des efforts sérieux ont été tentés pour entrer avantageusement en lutte avec nos concurrents; ils n'ont servi qu'à révéler notre impuissance. La trop grande production de nos adversaires les détermine à exporter leur excédent de marchandises à n'importe quel prix. C'est ainsi qu'ils inondent de leur tulle le marché français et obligent nos patrons non seulement à abaisser nos salaires, mais encore à réduire le nombre d'heures de travail.

Avant 1860 notre condition était prospère. A cette date nous comptions à Caudry 140 patrons qui devaient pour la plupart une honnête aisance à de rigides économies car, presque tous, étaient d'anciens ouvriers.

Nuit et jour, Sire, 350 métiers fonctionnaient dans notre heureuse commune où un travail, toujours régulier et largement rémunéré, réclamait deux mille paires de bras.

Les temps pour nous sont bien changés. Chaque année des ateliers se ferment et nos patrons qui avaient jadis endossé la blouse d'ouvrier ont dû la reprendre. Le traité de commerce avec le Royaume-Uni a fait perdre le fruit de 25 années de travail, et, aujourd'hui, notre activité n'est alimentée que par une centaine de métiers qui, encore, ne fonctionnent que la moitié du temps. Deux ouvriers sur trois se trouvent sans travail dans ce moment où les vivres sont hors de prix.

Nos plaintes, Sire, sont arrachées par la souffrance, et nous vous prions de ne pas considérer notre supplique comme un murmure. Tous, nous savons que vous voulez le bien-être des classes laborieuses et nous sommes sûrs que vous apporterez à notre sort un prompt et efficace remède.

Nous sommes, avec le plus profond respect, Sire, de Votre Majesté, les fidèles serviteurs et obéissants sujets. »

Caudry, janvier 1864

La situation ne s'améliore pas, bien au contraire et la crise cotonnière de 1866 ainsi que les mauvaises récoltes de 1866 et 1867 occasionnent des manifestations spontanées de la part des chômeurs. Les municipalités de la région sont contraintes à distribuer des secours et à organiser des soupes populaires. Si en 1860 Caudry comptait 350 métiers, en 1867 on n'en dénombre plus que 147 en activité.

Les conditions de travail de la main-d'œuvre sont toujours aussi pénibles. Deux ouvriers sont affectés à un métier de 1 h 30 à minuit en quatre passes alternées, soit un peu plus de onze heures chacun pour un salaire de 3 F. Il faut faire tourner ces métiers à la main heure après heure. Les jeunes couchent souvent sur une pièce de tulle lorsque leur travail se termine tard, et il arrive que le patron, une pièce de tulle sur le dos, parte à Saint-Quentin pour la vendre. La nourriture reste frugale, la viande est servie une fois par semaine. Le reste du temps c'est la soupe aux légumes et le « mo-fromage » (fromage mou). Les rares voyages se font à pied.

Pendant de longues années certains vont essayer avec

ténacité de conjurer le mauvais sort, mais, après les « Ateliers de charité » de 1870 et !'invasion prussienne les « Statistiques Industrielles » de 1873 ne signalent presque plus aucune fabrique de tulle à Caudry.

La révolution industrielle du XIXᵉ siècle et les métiers à dentelle mécanique

La fin du XIXᵉ siècle apporte à Caudry la récompense de sa ténacité et de son courage par une prospérité que l'on n'espérait plus.

Le port de la dentelle mécanique dans le costume féminin se répand dans toutes les classes sociales. Monsieur Beauvillain-Fontaine, ayant appris le dessin et la mise en carte à Calais, apporte son savoir à Caudry en venant s'y installer en 1878. Des crédits considérables sont octroyés en 1880 par la Banque Debail et Cie ; ils vont permettre aux artisans de remplacer le matériel vétuste par des machines ultra-modernes pour fabriquer de la dentelle. De 1880 à 1885, douze usines sont construites et 300 métiers sont livrés à Caudry, certains prétendent qu'un métier est acheté chaque semaine soit en Angleterre soit à Calais. Le bénéfice que l'on retire du travail de ce métier est aussitôt investi dans un autre métier.

Caudry est prête pour répondre à la demande grâce à la mise en place de moyens modernes. L'apparition des moteurs à gaz, la vulgarisation de la machine à vapeur et la découverte du moteur à explosion, vont permettre d'ex-

75. Caudry, XXᵉ siècle.

ploiter en totalité de nouvelles possibilités telles que l'industrie des matières colorantes ou l'utilisation doo machines à plisser. D'autre part, la construction de la ligne de chemin de fer Paris/Lille et l'exploitation des mines de houille vont être également le support de cet essor, en permettant l'installation d'industries textiles (laine-coton). Le développement de ces usines est ressenti comme une libération vis-à-vis des Anglais qui faisaient payer très cher le monopole des filatures qu'ils détenaient depuis très longtemps. Les offres de travail attirent une population de plus en plus importante. Si en 1870, on compte 4.421 habitants, c'est 8.045 Caudrésiens que l'on dénombre en 1891.

Les commandes affluent. Léonce Bajart cite un ordre pour un seul fabricant : mille coupes de dentelles de 44 mètres du même dessin, de 10 à 16 centimètres de hauteur, en noir seulement. Patrons et ouvriers travaillent ensemble jour et nuit. Les « faiseux de dessins » (tulliste en dentelle) se font porter le repas à l'atelier afin de ne pas perdre de temps. Il faut aller vite « Long mieu, long ouvreu ».

En 1883 est créé le Syndicat à casquettes ou « el clique à charriots » en raison du couvre-chef orné d'une broderie représentant un chariot de métier à tulle que porte ces membres. A la suite de certains avatars, ce syndicat de joyeux drilles est remplacé par l'Union des Ouvriers tullistes. Deux autres syndicats sont fondés en 1884. L'entente entre ces syndicats sera telle qu'elle permettra la signature de la première convention collective en 1897, entre patrons et ouvriers et déterminera un salaire identique à l'intérieur de chaque corporation.

Le léger fléchissement dans les ordres enregistrés en 1885 oblige la Banque Debail à déposer son bilan. La Banque Soumais qui la remplace est beaucoup plus prudente quant à l'octroi des crédits. Le battement des métiers rythme la vie de la cité du lundi matin très tôt au samedi soir très tard. Les journées sont de 10 à 12 heures. Lorsque les commandes sont nombreuses, le dimanche matin au lieu de nettoyer le métier comme à l'habitude et gratuitement, on fait quelques « racks » supplémentaires (le rack est l'unité de fabrication correspondant à un certain nombre d'aller et retour de la rangée de charriot). Le salaire d'un tulliste en dentelles varie de 7 à 9 francs par jour, alors qu'un instituteur gagne 90 francs par mois et un agent de police 84 francs.

Les femmes sont spécialisées dans le finissage qu'elles pratiquent soit à la maison soit à l'atelier. Maintenant, les enfants ne commencent à travailler que vers 10 ou 12 ans, mais sont utilisés très fréquemment pour de petits travaux. Parfois enfermés la nuit dans l'atelier pour être à la disposition de l'ouvrier, ils dorment sur les balles de coton. Dès que l'inspecteur du travail est annoncé on les fait sortir par des arrières-cours.

La richesse venant, les Caudrésiens se nourrissent fort bien : tête de veau, andouille, gigot aux haricots, tripes, ...et les petits soupers du samedi soir sont bien arrosés. Le dimanche de nombreux ouvriers font le tour des « estaminets », jouent aux fléchettes, au billon, au javelot. Il n'est pas rare de les voir continuer à s'amuser le lundi et de ce fait ne pas aller travailler « faire el lundi » mais il faut alors

D'ins l'métier d'tulle

I

D'ins l'métier d'tulle c'n'est po tout rose
Il n'peut mème po s'in faire idée
Comm' in est qué qu' feus lapidé
Quind in a d'el méchinte ouvroche
Dins l'métier d'tulle tout n'est po rose.

II

C'est dur d'ess déjouquer d'bonne heure
Pa les pus fortes gélées d'l'hiver
Etint couqué bé racouvert
Inter deux heur's et demie treus heures
C'est du d'ess déjouquer d'bonne heure.

III

Heureus'mint qu'in songe à s'quizonne
C'est çau qui queupe l'invie d'dormir
C'est çau qui vié vos raffermir
A l'heur' d'infuter ses maronnes
Heureus'mint qu'in songe à s'quinzonne.

IV

Comme i n'feut po partir sins l'iète
In met du café dins l'bidan
n met du plat' dins sin croûtan
Après l'l'avoir dossé d'éclette
Comme i n'faut po partir sins l'iète.

V

Quind l'métier tourne feut ouvert l'œule
Su les maquians pi su les nœuds
Du survidieu au bobonneu.
Feut courir et n'po ett'aveule
Quind l'métier tourne feut ouvert l'œule.

VI

El grinn'quessian ça s'reut d's'intinne
Au lieu d'voloir trop s'étriquer
Toudis tourner, n'pu pratiquer
Pi mett' du fil de fer dins l'chinne
El grinne quessian ça s'reut d's'intinne.

Fernand BEAUVILLAIN, 1894.

récupérer les heures perdues sur le restant de la semaine :
« Tiot lundi grinne semaine ».

En 1891, survient la « grève des bobinots », la première de Caudry. Les parties en présence n'ayant pu se mettre d'accord sur une tarification, elle va durer plusieurs mois et sera remplie de péripéties. Des ouvriers continuent de travailler malgré l'ordre des syndicats, et sont baptisés « moutons noirs ». Les patrons vont aller embaucher dans les communes voisines. Des bagarres éclatent, les gendarmes, sabre au clair, chargent les grévistes. La troupe arrive le lendemain. Les grévistes enregistrent cette fois-là un échec. Des chansons sont écrites sur ces événements sans précédent :

Profitant de la misère (bis)
Nos patrons, sans plus d'manière (bis)
S'en furent chercher des ouvriers (bis)
Pour travailler et à bon marché des vachers...
C'est ainsi qu'en trahissant leurs frères
Ils sont venus à bas salaires
Travailler, provoquer
Les grévistes ouvriers.
Mais bientôt des ateliers
Ils s'ront balayés

Refrain

A la tienne, mon vieux,
A la tienne, mon vieux,

Sans les moutons noirs
Nous serions tous des frères.
A la tienne, mon vieux,
A la tienne, mon vieux,

Sans les moutons noirs
Nous serions tous heureux.

En 1898 une nouvelle grève, sans incident cette fois, éclate et se termine par un accord sur l'établissement d'un tarif semblable à l'intérieur de chaque branche d'activité. Toutefois, la haine des « moutons noirs » persiste. Ils sont mis, ainsi que leur famille, au ban de la société ouvrière. Et une nouvelle chanson voit le jour :

Jetons la honte aux hommes sans courage,
Etres inconscients appelés moutons noirs.
Ils sont venus se courber au servage
Manquant ainsi au plus sublime devoir.
Par leur présence,
Leur inconscience,
On avait bien pensé
Nous faire révolter.
Mais les gendarmes
Prêts pour les armes
Attendirent vainement
Le moindre événement
Et grâce à notre union
Aucune diminution

76. Caudry, XXᵉ siècle.

106

N'est venue modifier
Notre journée gagnée
Et dictons le moyen
Qui sera notre gain
Crions avec éclat :
Vive le syndicat !

C'est à cette époque que l'on construit de grandes usines, ainsi que des hôtels particuliers et de vraies maisons pour les ouvriers.

La dentelle mécanique imite presque toutes les dentelles à dessins répétitifs : Chantilly, Malines, Alençon, Lille. Elle est vendue à Paris, Londres, Saint-Pétersbourg, Berlin, Vienne, l'Australie et les Etats-Unis.

Adaptation aux marchés de la dentelle mécanique au XXᵉ siècle

Le goût pour la dentelle échappe à tout contrôle. Bonnes et mauvaises années se succèdent sans raison apparente.

Dès 1910, Caudry obtient à l'Exposition universelle de Bruxelles, pour l'ensemble de sa production un diplôme d'honneur, deux médailles d'or et trois médailles d'argent. La ville a maintenant une renommée mondiale pour la qualité de ses dentelles. Elle compte 13.390 habitants en 1911. Avec le concours de la main-d'œuvre qui vient de Beviller, Quievy, Béthencourt, Inchy, Audencourt, Montigny, Ligny, la région de Caudry compte :
— 600 métiers à dentelle Leavers pour 177 fabricants
— 550 métiers pour tulle uni
— 30 métiers à guipure.

A ce potentiel de fabrication s'ajoutent 630 métiers pour broderie. La dentelle, d'après Monsieur Bajart, est destinée pour 15 % aux grandes maisons de couture parisiennes et 85 % à l'exportation. Les ouvriers gagnant bien leur vie, leurs maisons sont coquettes et l'on parle même d'un projet de retraite ouvrière. La joie de vivre est grande et les ateliers retentissent de chansons d'auteurs populaires. L'année 1914 s'annonce excellente...

Le 26 août 1914, Caudry est envahie...
Les Allemands vont piller et détruire systématiquement métiers, dessins, papiers.
Dès 1919, la ville de Caudry va essayer de reconstituer son outil de travail. La plupart des fabricants utilisent les dommages de guerre pour commander des métiers à Nottingham et, de ce fait, c'est un outil de travail ultra-moderne dont vont disposer les fabricants de dentelle. Mais il faut attendre 1922 pour voir se dessiner une reprise des affaires qui ne se situe encore qu'à 50 % de la production de 1913. Les métiers tournent pour 90 % à l'exportation, situation qui s'avérera très dangereuse dans l'avenir. Pour l'instant, les 220 fabricants font un chiffre d'affaires de 120 millions de francs et jusqu'en 1930 l'industrie Caudrésienne subira les fluctuations occasionnées par la mode.

On cite, comme témoin de cette époque prospère, l'exemple d'un ouvrier sobre et travailleur qui se fait construire une petite maison confortable avec un jardin de 200 ares. Tous les dimanches, sa table est bien garnie et il ouvre régulièrement une bouteille de champagne.

Une certaine rivalité règne entre Caudry et Calais. Tout d'abord, Caudry met un point d'honneur à franciser les termes anglais du métier. A Caudry, on dira « un bobineur ou un ourdisseur » tandis qu'à Calais, on utilisera les appellations anglaises « wheeleur ou warppeur ».

Avec un an de retard, les fabricants de dentelle qui travaillent pour l'exportation sont touchés par le krack financier de Wall Street. Dès 1931, la situation est catastrophique et le chômage, presque complet, va se maintenir jusqu'en 1938. Pendant cette période, patrons et ouvriers vont s'entraider et il n'est recensé que deux faillittes. Pour se convaincre de la réalité de la crise, la Chambre de Commerce de Cambrai publie les chiffres d'affaires réalisés dans le tulle et la dentelle :

1930	320 millions
1935	26 millions
1936	40 millions
1937	70 millions
1938	150 millions

L'année 1939 s'annonce meilleure que la précédente d'autant plus que l'Amérique donne des ordres d'achat grâce aux mesures prises par Roosevelt (New Deal). La guerre, comme en 1914, va freiner la reprise. Durant cinq ans, la production dentellière va essayer de survivre bien que les circonstances ne prédisposent ni au luxe, ni à la frivolité. Toutefois, malgré les tracasseries allemandes le premier tulle nylon sort des métiers en 1943.

A la Libération, Caudry qui n'a pas subi des dégâts semblables à ceux infligés à Calais, va être en butte aux lois, décrets et règlements tatillons propres à une bureaucratie de crise.

Les matières premières manquent d'une façon tragique. Sous peine de fermeture, il faut à tout prix chercher de nouvelles sources d'approvisionnement.

Avec le même état d'esprit qu'à la fin du XIXᵉ siècle, lors de la révolution technique, fabricants et ouvriers vont assimiler la nouvelle technologie des matières et utiliser tous les textiles de pointe : fibrane, rayonne, (viscose, acétate), nylon, lureux, plastilam. C'est un succès. Des ordres de plus en plus importants sont enregistrés. Les Américains succombent aux charmes de la dentelle et en décorent même l'intérieur de certaines voitures. En 1950, la fabrication caudrésienne étend ses marchés à l'exportation qui s'élève pour les Etats-Unis, à un milliard 500 millions. La mode française donne le ton avec les voilettes et les volants. La demande est constante jusqu'en 1956. A ce moment-là, des mesures protectionnistes de différents pays d'Amérique sont prises. Le Brésil applique des droits de douane, pour ce qui concerne la dentelle, qui s'élèvent à 300 % ad valorem.

Parfois, ce sont des mesures de retorsion par le boycott dont est victime la dentelle. L'exemple le plus frappant est l'annulation de tous les ordres d'achat donnés par les Américains, acheteurs traditionnels, à la suite de la politique définie par le général de Gaulle envers l'état d'Israël et les Etats-Unis. Petite cause, grand effet, la suppression de la mantille aux offices religieux est cruellement ressentie par toute la corporation.

La variété des métiers permet de subir sans trop de difficulté la crise très dure qui s'étendra de 1967 à 1976. Les ventes pour 1970 ne s'élèvent qu'à 3 milliards d'anciens

---

Tullunite

A la manière de...

Mon père, ce héros au si discret sourire
Avait, du fabricant, tous les dons réunis.
Mais il avait aussi comme il aimait le dire
De bons métiers anglais pour faire des unis.
Tel un César vainqueur passant une revue
Il vous toisait de haut, il fallait le vanter
Et s'il portait lunettes ,pour mettre au point sa vue
C'était pour bien compter et pour mieux augmenter
Des prix déjà surfaits et gonflés à outrance !
Il les a, il les tient, ces clients qui, longtemps
Profitant du marasme et de la concurrence
Firent à ses dépens la pluie et le beau temps.
Il se sent rajeunir en faisant des factures
Il va, il vient, il court... les métiers sont trop lents
Et l'apprêt va passer pour la mise en teinture...
Il a trente pièces, et il en faudrait cent !
Ah ! ne pouvoir livrer quand la demande est vive
Ah sacré tulle et bougre de métier
Où tous les racks affluent lorsque la baisse arrive
Au diable des clients et s'ils viennent prier
Faites deux francs plus cher afin qu'on en soit quitte !
Le lendemain hélas ! les voit tous réunis.
A quoi sert d'augmenter... ils accourent plus vite
Implorer à genoux le fabricant d'unis.
Ils sont douze chez nous et l'un d'eux que j'appelle
Offre en plus vingt pour cent à mon père surpris.
La minute est poignante et l'attente cruelle
Mais, touché jusqu'au cœur et surtout par le prix
J'entendis un appel puis un ordre sévère :
Vends-lui tout de même une pièce, dit mon père !

Léonce Bajart (1920)
Lauréat des Rosatis de France

---

francs; il faut réduire les frais au maximum et attendre la fin de la mode des mini-jupes et des pantalons. Une amélioration est apportée sur les métiers par Monsieur Etienne Lezcroart avec l'adjonction d'un système de casse-fil qui permet d'avoir de bien meilleures finitions. Satisfait du procédé, Monsieur Lezcroart en équipe toutes ses machines.

Les géants caudrésiens

Vers 1914, un patoisant caudrésiens Léonce Bajart, écrivait, dans la presse locale des articles dont les principaux héros, très populaires, étaient Batisse et Laïte, en français Baptiste et Adelaïde.

En 1921, lors des fastueuses fêtes de la Dentelle, M. Bajart eut l'idée de faire construire deux géants qui représenteraient ces personnages et symboliseraient l'industrie caudrésienne.

En cela, M. Bajart fut un précurseur. Alors que la plupart des géants des Flandres, Gayant à Douai, Reuze à Dunkerque, Jeanne Maillote Lydéric et Phinaert à Lille, Martin Martine à Cambrai, etc. sont des personnages des temps anciens; Léonce Bajart créait des symboles d'industrie, des types de métier, auxquels sont venus s'ajouter à Boulogne : en 1923, les deux pêcheurs Batisse et Zabelle et en 1950 à Denain le mineur Cafougnette.

Représentant l'ouvrier tulliste et sa compagne, raccommodeuse en dentelles, les géants locaux n'avaient aucune prétention à de luxueuses vêtures. Batisse avait la tenue habituelle des ouvriers caudrésiens : chemise de couleur et un grand tablier bleu à bavette. A l'oreille il portait le crochet dont ils se servent pour renfiler et, dans les mains un chariot et une bobîne, accessoires du métier.

Quand à Laïte, son épouse, elle portait le traditionnel « caraco » un jupon bleu à petits pois et l'habituel tablier en toile de Vichy à carreaux bleus et blancs.

L'artiste parisien qui avait monté ces géants, hauts de 5 mètres, avaient réussi à leur donner un air du pays. Ils étaient portés par 16 hommes de la Compagnie des sapeurs-pompiers qui n'auraient pas voulu laisser à d'autres ce soin et cet honneur.

Nos deux géants devinrent vite très populaires. Leur participation aux fêtes de Le Cateau et de Landrecies, et à la marche des Géants du Nord le 15 août 1927 à Cambrai, leur présence aux festivités locales les ont définitivement fait adopter et aimer par les populations du Cambrésis.

77. Batisse et Laite, les géants Caudrésiens.

En novembre 1977, une exposition est organisée dans les salons du siège de la Fédération des dentelles et broderies de France à Paris, à l'Instigation de Monsieur Henri Beauvillain, président en exercice. Cette exposition est placée sous le haut patronnage de Madame Giscard d'Estaing. Monsieur Ginestou, Secrétaire général invite la presse et les écoles de stylistes. La dentelle est une découverte pour de nombreux visiteurs. Cette initiative est des plus heureuses et les répercussions sont immédiates. Les carnets de commande se remplissent à nouveau.

En 1978 la population de Caudry est de 14.000 habitants. Actuellement, malgré les difficultés du moment, les ouvriers font des journées de huit heures. Le montant des ventes pour 1978 est de cinq milliards de francs anciens. Les perspectives sont excellentes et les commandes se maintiennent à un haut niveau.

Le phénomène « Mode » fixe à nouveau ses projecteurs sur la dentelle au grand ravissement des femmes qui en aiment le mystère et la beauté. Pour s'adapter à l'évolution actuelle du monde et aux exigences des modes de vie, il est certain que les fabricants et les ouvriers doivent faire des recherches dans le graphisme et présenter le style 1980 aussi parfaitement que le merveilleux style 1920. Faisons confiance à leur esprit d'entreprise et d'innovation.

En ce qui concerne l'urbanisme, comme toutes les villes du Nord qui se sont développées trop rapidement, les exigences de la production l'ont emporté longtemps sur les préoccupations d'esthétique et de confort. Pourtant Caudry, est aujourd'hui une belle ville, propre, fleurie, que des travaux de voirie ont complètement transformée. Une zone industrielle a été aménagée, des établissements importants installés, sept cent maisons individuelles construites, les équipements industriels et commerciaux modernisés. Nous sommes loin du petit village de 1833 et, continuant son ascension, Caudry pourra encore maintenir longtemps la renommée du bon goût français.

78. Caudry, XXᵉ siècle.

113

O femme...

O femme, c'est pour toi, pour toi seule, ô Beauté
Que nous cherchons sans cesse avec avidité
Ce nouveau qui sera ton caprice éphémère
Nous peinons sans compter pour que tu puisses plaire
Et nous ne recevons, pas même ton merci
Mais nous sommes heureux lorsque tu l'es aussi
Et lorsque les volants de nos claires dentelles
Palpitent sur ton sein dans un battement d'ailes.

O femme, c'est pour toi qu'au cours de mois entiers
Nous luttons pour doter d'une âme `les métiers
Dont les muscles d'acier font trembler nos murailles.
C'est pour qu'en tes linons, tes satins et tes failles
Ondule une guirlande ou clignote un perlé
C'est pour qu'un chrysantème au cœur échevelé
Se dispose en semis sur le champ de ses laizes
Et que nos entre-deux ouvrent leurs parenthèses
Sur ta jupe à longs plis, sur ta guimpe de lin
Ou bracèlent ta manche au gracieux dessin.

Gérard VERNE.

Bibliographie

L. BAJART. — **L'industrie des tulles et dentelles en France**
Lille 1953 — S.I.L.I.C.
Notice historique sur Caudry
Caudry 1963 — S.A.I.R.C.

BALL CARRIER-BELLEUSE. — **Histoire de la dentelle**
Calais 1938 — Baillard

H. BAYZELON. — **L'industrie de la dentelle à la main**
Lyon 1906 — Imprimeries Réunies

R. BRICOURT. — **Développement de l'industrie des tulles, dentelles et broderies mécaniques à Caudry et dans sa région du début du XIXe siècle à 1960**
D.E.S. d'histoire 1964 — mémoire principal

CAPPLIEZ. — **Histoire des Métiers de Valenciennes et de leurs saints Patrons**
Valenciennes 1893 — Girard

E. CORTYL. — **La dentelle à Bailleul**
Bailleul 1903 — Ficheroulle BEHEYDT

DESROUSSEAUX. — **Mœurs Populaires de la Flandre française**
Lille 1889 — Quarret

S. FERGUSSON. — **Histoire du tulle et des dentelles mécaniques en Angleterre et en France**
Paris 1862 — Lacroix

FLAMMERMART. — **Histoire de l'Industrie de Lille**
Lille 1897

H. HENON. — **L'industrie des tulles et dentelles mécaniques**
Paris 1900 — Berlin

LAPRADE (L. de). — **Le Point de France et les Centres dentelliers au XVIIe et XVIIIe siècles**
Paris 1905 — Rothschild

E. LEFEBURE. — **Broderies et Dentelles**
Paris 1887 — Quantin

LONGAR. LECAILLON, ROUSSEAU. — **Sedan et le pays sedannais. Vingt siècles d'Histoire.**
Rééd. Laffitte, Marseille 1978.

MALOTET. — **La dentelle à Valenciennes**
Paris 1927 — Schemit

B. PALLISER. — **Histoire de la Dentelle**
Paris 1892 — Firmin Didot

P. PIERRARD. — **La vie quotidienne dans le Nord au XIXe siècle**
Paris 1976 — Hachette

PROTH. — **Evolution et perspectives des industries sedanaises.**
« Les Labauches », 1967.

J'adresse tous mes remerciements à :

— M. Bajart Léonce, Historien de Caudry.
— M. Beauvillain, Président de la Fédération nationale des Dentelles, Tulles, Broderies, Guipures de Paris.
— Madame la Bibliothécaire en chef de la Bibliothèque municipale de Lille.
— M. Bracq, Secrétaire général de l'Union patronale des Textiles de Caudry.
— Mme Broutin, Descendante de la famille des Labauche, Sedan.
— M. Congar, Président de la Société d'Histoire et d'Archéologie de Sedan.
— Mme Duvant, Professeur de dentelle, Valenciennes.
— M. France, Directeur des Ecoles académiques de Valenciennes.
— M. Ginestou, Secrétaire général de la Fédération nationale des Dentelles, Tulles, Broderies, Guipures de Paris.
— Mlle Laire : Membre de la Société d'Histoire et d'Archéologie de Sedan.
— M. Legrois, Secrétaire général de la Chambre syndicale des Fabricants de dentelles de Calais.
— Mlle Looten, Professeur de dentelle à Bailleul.
— Monsieur le Maire de Bailleul.
— Mme Mourrier, Bibliothécaire municipale du Puy.

Table des matières

*Maquette de couverture
et mise en pages
Danièle Dubois*

ACHEVÉ D'IMPRIMER PAR
L'IMPRIMERIE CH. CORLET
14110 CONDÉ-SUR-NOIREAU

N° d'Imprimeur : 4379
Dépôt légal : 4e trimestre 1979

Photos Arts Graphiques - Le Puy
Composition Publi-lino - Paris